KAWADE
夢文庫

一番わかりやすい！
メタバース
ざっくり知識

現代ビジネス研究班[編]

JN088267

河出書房新社

いま話題の「メタバース」。 そのすべてがよくわかる!

「メタバースって最近よく聞くけど、なんだかよくわからないよね」

　そんな話題になったら、

「ようするに仮想空間のことでしょ」

　と言っておけば、その場は切り抜けることができます。しかし、メタバースについて3分で説明せよと言われたら? さらに、

・メタバースの何がすごいのか
・なぜ、世界のIT会社の要人たちが「インターネットの次はメタバースだ」などと言い出すのか
・私たちの生活やビジネスはどのように変わるのか
・メタバースにはどんな問題が指摘されているのか

　このように問われたら、説明に困るという人も多いのではないでしょうか。そこで本書では、メタバースについてざっくりわかるように、できる限りやさしく、またフラットな立場から解説しようと試み

ました。

　ネットの世界の話は、どうも"とっつきにくい"という人もいるかもしれません。「よくわからない言葉がひんぱんに出てくる」というのがその原因の一つでしょうから、なるべく、インターネット業界の専門用語は使わないように説明するとともに、知っておいたほうがいいワードについては適宜解説しました。

　また、メタバースでは、ゲーム、ＳＮＳ、バーチャルオフィスなど、さまざまな要素が同じ**プラットフォーム**（サービスやシステム、ソフトウェアを提供・カスタマイズ・運営するために必要な「共通の土台となる標準環境」のこと。パソコンでいえば、ソフトウェアを動かすWindowsやMac OSなど）に混在している場合があります。

　そのため、ゲームであればプレイヤー、ＳＮＳならユーザーが普通ですが、原則として「ユーザー」に統一して説明しました。

　本書が、来るべきメタバース社会を理解する一助になれば幸いです。

　　　　　　　　　　　　　　現代ビジネス研究班

INDEX

いま話題の「メタバース」。
そのすべてがよくわかる！──はじめに／2

①

メタバースは
なぜわかりにくい？

フェイスブックの社名変更で注目が集まった／14

メタバースは、なぜわかりにくいのか／16

● ゲーム好きには以前から知られていたが…

● 定義がはっきりしていない──理由❶

● メタバースはまだない──理由❷

● 立場によって見え方が異なる──理由❸

メタバースをさくっと知るための3作品／23

②

メタバースが実現する
「体験の共有」とは

メタバースは3次元のインターネット／30

2次元のインターネット＝情報の共有／32

3次元のインターネット＝体験の共有／33

メタバースでは「ショッピングを体験」できる／34

メタバースでは「ライブを体験」できる／36

もっとも有名なメタバースの定義「七つの条件」／37

カギとなるもう一つの条件は「没入感」／45

「あつ森」「FF14」はメタバースなのか？問題／46

●「あつ森」は社会性はあるが、没入感がない

●「FF14」も社会性はあるが"目的"が決められている

メタバースがめざす二つの方向／49

メタバースと関係が深い「デジタルツイン」
　　と「ミラーワールド」／52

●現実世界のものや空間を再現する「デジタルツイン」

●デジタルツインを現実世界と連動させたのが
　「ミラーワールド」

③ 技術より夢が先行していた メタバース前史

40年前にVRを先取りしていた
　　映画『ブレインストーム』／56

●「ニューラリンク」の登場を予言していた？

● SFや映画で描かれた仮想世界

仮想現実の実現は、ゲームから／60

● ハビタット──❶どんなゲームか

● ハビタット──❷なぜ下火になったのか

● セカンドライフ──❶どんなゲームか

● セカンドライフ──❷なぜ下火になったのか

④

ユーザー目線で知りたい！ いまメタバースでできること

メタバースでエンタメを楽しむ／71

● メタバース化が進んでいるゲームの世界

● もっともメタバースに近いといわれる「フォートナイト」

● フォートナイト内でのライブに見る可能性

メタバースでコミュニケーションする／78

●「3DのSNS」といわれるソーシャルVR

●「VRChat」はソーシャルVRの代名詞

●「クラスター」は企業寄りのサービスが売り

●「バーチャルキャスト」は配信機能が充実

●「NeosVR」は自由度が高い

● ソーシャルVR にヘビーユーザーが多いわけ

メタバースで創作する／87
- ●「何でもあり」のサンドボックスゲーム
- ●「マインクラフト」はサンドボックスゲームの代表
- ●「ロブロックス」には用意されたゲームがない?!

メタバースで稼ぐ／93
- ● メタバースでは自然と経済活動が生まれる
- ● 企業を通さない「個人対個人」の経済ができる!
- ●「個人対個人」の市場規模は拡大中

メタバースでデジタル資産の売買・管理をする／99
- ● メタバースと関係が深いNFTを知る
- ● NFTは美術品の鑑定書のようなもの
- ● NFTを支えるのが、ブロックチェーン
- ● NFTでデジタル資産が売買できるように
- ● NFT系メタバースは"みんなで管理する"
- ●「ディセントラランド」と
  「ザ・サンドボックス」の共通点

⑤

企業にもメリットが多い!
いまメタバースでできること

メタバースで販売する／112

- 企業がメタバースに出店するメリット
- メタバースでの買い物はECサイトと何が違うのか

メタバースでオフィスワーク／116

- メタバースはワークスタイルを変えるか
- Zoomでのウェブミーティングとの違いは

メタバースでイベントを主催する／121

- コロナ禍で普及した「バーチャル入社式」
- 一般消費者向けイベントもメタバースで開催
- メタバースでハロウィーンなどの「お祭り」も

なんでもできる「オープンメタバース」へ／125

- すべての活動はメタバースで可能になる?
- メタバースでできることは広がっている

⑥ VR、AR、MR、XR… 新技術がメタバースを進化させる

VR、AR、MR、XRとは何か／130

- メタバースを支える技術
- VRは「仮想の現実を体感させる技術」
- ARは「現実世界にデジタル情報を融合させる技術」
- MRはARと似た技術だが…

● XRは「VR、AR、MRの総称」

「VRヘッドセット」の仕組みと技術を知る／137

● あの"ゴーグルのようなもの"の正体

●「PC接続型」と「スタンドアローン型」がある

● すでに違和感のない高解像度を実現

● アバターを自在に動かすトラッキング技術

● トラッキング技術でここまで可能に

VRヘッドセットで、どこまで没入できる？／144

● 視覚・聴覚だけでなく味覚・触覚まで感じる?!

● VR体験は、想像する以上にリアルに近い

触覚を補強する「ハプティクス」という技術／147

● iPhoneのアイコンにも使われている

●「触覚スーツ」でさまざまな刺激を体感

デバイスの普及がメタバース普及のカギ／149

● VRヘッドセット普及のカギは、やはり「価格」

●「価格」以外に普及のカギとなる意外な要素とは

「BMI」で脳とコンピュータをつなぐ?!／152

自己表現としてのアバター／154

● アバターの要素は「容姿」「動作」「声」

●「動作」は頭と両手の動きだけだが…

●「声」の変え方は三つある

アバターの統一規格「VRM」／158

- アバターには「自由がない」?
- どのプラットフォームでも同一のアバターを!

⑦

もっとも注力している企業は?
メタバースの活用例

ナイキの「NIKELAND in ロブロックス」／162

有名ブランドが続々参加!
　メタバースファッションウィーク／164

スタンフォード大学の「Virtual People」／165

エリクソンの「5Gネットワークシミュレーション」／166

JR東日本の「メタバース・ステーション」／168

三越伊勢丹の「REV WORLDS」／170

テレビ東京の「池袋ミラーワールド」／171

国土交通省の「PLATEAU」／172

⑧

「ウェブ2.0」の覇者は
「ウェブ3」時代をどう生き抜くか

そもそも「ウェブ3」とは何か／176

- ●「ウェブ1.0」は一方通行の時代
- ●「ウェブ2.0」は双方向の時代
- ●「ウェブ3」では分散型のネット社会に?
- ● メタバースがウェブ3時代のプラットフォームになる?!

「ウェブ2.0」の覇者たちがめざすもの／182

- ● 次の勝者は「GAFAのどれでもない」?
- ● Meta(旧フェイスブック)のねらいはどこにあるか
- ● マイクロソフトは「Teams」からメタバースへ
- ● グーグルが狙うAR市場
- ● アップルは、いつARデバイスを発売するのか
- ● アマゾンは仮想現実よりリアルを重視?!

メタバースはウェブ3を実現するトリガーになるか／193

9
メタバースの普及を左右する 今後の課題と可能性

メタバースは「キャズム」を超えられるか／196
「バ美肉」文化は受け入れられるか／198

- ● おじさんも美少女アバターに
- ● アニメ的世界観に入れない人も

デバイス普及のカギは価格とコンテンツ／201

- 価格の問題と操作性の問題
- エンタメを楽しむために5万～6万円出せるか

「ポストコロナ」は追い風になるか／204

メタバースでの犯罪行為と法整備の問題／206

- プレイヤー間で問題になった「PK」
- 「レイプ・イン・サイバースペース事件」とVR強姦
- 著作権、プライバシー、金銭のトラブルも

メタバースの普及は「実用分野」がカギ／212

- サブカル以上にビジネス・産業で生きる技術
- 患者や医療従事者の負担が緩和できる
- アバターが不平等やハンデをなくす可能性
- 対人関係のハードルを下げる
- 失敗を恐れず何度も挑戦できる
- 疑似体験により治療効果が期待できる

カバーCG／アフロ
本文イラスト／原田弘和
協力／岡本象太

メタバースは
なぜ
わかりにくい?

フェイスブックの社名変更で 注目が集まった

　2022年1月、『スノウ・クラッシュ』というSF 小説が24年ぶりに復刊されました。

　アメリカの作家、ニール・スティーブンソンが書 いた『スノウ・クラッシュ』は、メタバースの話に なると必ずといっていいほど名前が挙がる20世紀 末のSF小説で、「メタバース」という言葉が初めて 登場した、つまりメタバースというものを初めて描 いた作品として知られています。

　ちなみに、**アバター**（インターネット上で自分の分 身として使われるキャラクター）という言葉が使われ たのも、この小説が最初といわれています。

　ということで、メタバースという言葉・概念は、 すでに1990年代にはあったということになります が、少なくともSFファン以外には大きく注目され ることはありませんでした。

　ところが、2021年10月、あることをきっかけ に、メタバースのグーグル検索件数が跳ね上がった のです。

フェイスブックが、その社名を **Meta Platforms（メタ・プラットフォームズ）** に変更すると発表**（略称は「Meta」）**。マーク・ザッカーバーグCEO（最高責任者）は「数年内に当社は、SNSの企業からメタバースの企業に変わるだろう」と宣言しました。

以来、最重要トレンドワードとなった「メタバース」は、NHKで特集番組が組まれたり、一般男性誌『GQ JAPAN』をはじめ、さまざまな雑誌の特集に取り上げられたりしています。

Meta社が運営するSNSインスタグラムのロゴの下には「from Meta」としっかり表示されるようになり、2022年7月にはMeta社の主催による「第1回メタバースEXPO」が開催されたことが、ゴールデンタイムのニュースでも報じられました。

新社名は Meta

メタバースは、なぜわかりにくいのか

ゲーム好きには以前から知られていたが…

　おかげで、それまでメタバースという言葉を聞いたことがなかったという人にも「メタバースって仮想空間のことでしょ」というぐらいには知られるようになりました。

「メタバースなら知ってたよ」という人ももちろんいるでしょうが、"**オンラインゲーム**（PCやスマホなどを通じてほかのプレイヤーと一緒にプレイできるゲーム）をするような人たち"のためのマニアックな話題だと思っていた人たちも多かったでしょう。いや、ほとんどの人がそう思っていたのではないでしょうか。

　ところが、あのフェイスブックが社名を変更してまで注力するといいます。フェイスブックといえば、世界を牛耳るGAFAM（グーグル、アップル、フェイスブック［現Meta］、アマゾン、マイクロソフト）の一角。たとえば、ゲーム業界のニンテンドーが「メ

タ」と言い出したりするのとは意味が違います。

　こうして注目されはじめた「メタバース」ですが、いざ、どんなものかと深掘りしようとすると、思ったようにサクッとはいきません。

　メタバースはわかりにくい。その理由は、三つあります。

定義がはっきりしていない──理由❶

　一つは、まだ「メタバース」という言葉の定義がはっきりしていないことがあります。どこまでをメタバースというのか、何がメタバースで何がメタバースではないのか、人によって考え方がまちまちなのです。

　「あつまれ どうぶつの森」（46ページ参照）はメタバースだ、SNSだって広い意味ではメタバースなんだという人もいれば、**VRヘッドセット**（137ページ参照）を装着して3D世界に没入しなければメタバースではないという人もいます。人によって定義がかなり異なるのです。

　アマゾンの役員の1人であるデビッド・リンプ氏は、「いま、メタバースとは何かと100人に聞いたら100通りの答えが返ってくるだろう」と発言して

います。

　つまり、**テック企業**（ITテクノロジーを活用して
ビジネスを展開している企業。GAFAMはその代表例で
「テックジャイアント」とも呼ばれる）の中枢にいる人
たちでさえ、メタバースとはこういうものだと明言
することはできない。これが現状なのです。

メタバースはまだない──理由❷

「メタバースとはこれだ」といえるものがまだ存在
しないということも、メタバースをわかりにくくし
ている理由の一つです。

「これがメタバースです」と見せることができれば
話は簡単。しかし、メタバースとはこういうものだ
という概念はあっても、まだ〝完璧なメタバース〟
は完成していない、だからいまは、まだ見ることも
体験することもできない。これではわかりにくいの
も当然です。

　もちろん、定義にもよるので「もうメタバースは
ある」という人もいますが、多くの人が「いまはこ
れを『メタバース』と呼ぶけれども、メタバースは
まだ始まったばかり。もっと技術的にクリアすべき
ことがたくさんある」と考えていて、メタバースを

語るときには、それによってこんなことが実現する（はずだ）という理想像や未来予測について語ることが多いのが現状です。

　そのことも、メタバースをわかりにくくしている要因の一つになっています。

立場によって見え方が異なる──理由❸

　さらにもう一つ、メタバースにはいろいろな側面があって、語る人の立場によって見ている部分が異なる、ということもポイントでしょう。

　代表的な立場は二つあります。ユーザー側とビジネス側です。

　ユーザー側は、すでにオンラインゲームや**ソーシャルVR**（アバターで交流するSNS的サービス。78ページ参照）などに接していて、その体験の延長線上でメタバースを語ります。そして、まだ完全ではないものの、いま体験しているものはメタバースの基本要件をほぼ備えていると考えます。

　このような人たちのなかには、1日の多くの時間をメタバースで過ごし、リアルな現実世界よりも、メタバースのほうが過ごしやすいと感じている人たちもいます。

　彼らは「不自由な現実世界よりも、メタバースのほうが理想に近い世界。これからはメタバースだ」というはずです。

　一方で、ビジネスとしての可能性をメタバースに見ている人たちもいます。

　メタバースという、いままでにないまったく新しい「世界」ができたことで、ここから将来GAFAMと肩を並べるような、あるいはGAFAMに取って代わるようなモンスター企業が生まれるかもしれない。つまり、メタバースはおカネになる。これからはメタバースだ！　というわけです。

　ユーザー側とビジネス側、それぞれ異なる立場でありながら、時に共通する部分もあります。たとえば、多くのIT企業の創業者やCEOは、いまでこそ押しも押されもせぬビジネスパーソンですが、かつては（あるいは現在でも）、パソコンオタクであることが多いものです。

　このように、メタバースの語り手がどこから発信しているのか、これからはメタバースだと主張するときに、どういう意味で発言しているのかを押さえておく必要があります。

〈メタバースがわかりにくいわけ〉

❶定義がはっきりしていない

「あつ森」は
メタバース！

VRヘッドセットを
しないのは
メタバースじゃない！

❷メタバースはまだない

I'll A　I'll B　I'll C

A、B、Cは
まだ現実じゃない

❸立場によって見え方が異なる

開発頑張ってます

萌え〜！

発言力が
弱くなりがち

メタバース支持者　　　　メタバース懐疑派

1 | メタバースは
なぜわかりにくい？

　もう一つ言い添えておくと、ユーザー側でもビジネス側でも、「これからはメタバースだ」と発言している人たちは、いわばメタバース推進派です。

　あるいは熱烈支持派といってよい人たちも多いでしょう。

　一方で、メタバースには技術や法律、人権などの側面から懐疑的・批判的な見方もあるのですが、そういう人たちの声はあまり大きくは発信されていないという現実もあります。

　このように、さまざまな要因が重なっているため、メタバースは極めてわかりにくいわけです。「メタバースって、わかるようで、よくわからないよな」と思っている人がいるとしたら、それは情報収集能力が低いわけではなく、むしろ当然のことだと思われます。

　しかし、望む・望まざるにかかわらず、メタバースは未来において主要な技術となること、そして、いま現在もっとも重要なキーワードの一つであることは間違いありません。

メタバースをさくっと
知るための3作品

　メタバースとは何か。それを知るには、何かを実際に体験してみるのが、いちばんてっとり早いでしょう。

　とはいうものの、後述する「**フォートナイト**」（72ページ参照）のようなオンラインゲーム、そして「**VR Chat**」（ブイアールチャット。78ページ参照）のようなソーシャルVRを"ちょっと覗いてみる"のは、無料とはいえ少し面倒です。操作を覚えたり、最初にアバターを設定したりするのは手間と時間がかかるからです。

　そこで、「メタバースってこんなものなんだ」と納得するためには、メタバースが描かれた映画やアニメなどの映像作品を見てみるのが近道です。おすすめの3作品をピックアップしてみました。

● 映画『レディ・プレイヤー1』

　2018年に公開されたスティーブン・スピルバーグ監督のSF映画です。舞台は2045年、世界は荒廃

して、多くの人々がスラム街で暮らしているという設定です。

主人公のウェイド・ワッツもその1人（ちなみに、タイトルの『レディ・プレイヤー1』とは、ゲームのスタート時に出るメッセージ「プレイヤー1、準備ＯＫ」の意味で、女性プレイヤーの話ではありません）。

映画の舞台は多くがゲームのなかの仮想空間、つまりメタバースで、ここで主人公のアバター「パーシヴァル」が活躍するというストーリーです。

ネタバレになるのでほどほどにしておきますが、この映画は、単なるメタバース礼賛（らいさん）ではなく、現在のメタバースをめぐるさまざまな状況を浮き彫りにしているのが、興味深いところです。つまり、この映画を見れば、「なるほど、メタバースは現在のところ、こういう位置づけなのか」ということがよくわかると思います。

たとえば、ゲームの世界が舞台になっているというところもその一つで、そもそも「メタバースといえばゲーム」といっていいほど、メタバースはゲームの世界で進化してきたことがわかります。

また、前述したようなユーザー側とビジネス側の利害の対立、現実世界のさまざまな問題——貧困、

容姿のコンプレックス、マイノリティへの無理解など――が、メタバースではリセットされるという長所があるなど、メタバースをめぐる状況が巧みにストーリーに盛り込まれています。

●アニメ『竜とそばかすの姫』

最近の話題作から。2021年7月に公開された細田守監督の作品です。仮想世界でカリスマ的"歌姫"となった、でも現実世界ではパッとしない（という設定の）女子高生すずが主人公です。舞台となる「U（ユー）」というメタバースは、世界に50億人以上のユーザーがいるという設定で、冒頭のナレーションで次のように説明されます。

「Uはもう一つの現実。〈As〉（＝アバター）はもう1人のあなた。現実はやり直せない。しかし、Uならやり直せる」

すずは"歌うことができない"高校生ですが、「U」のなかでは「Belle（ベル）」という名の〈As〉となって、歌姫として世界中から注目されるようになります。

この「U」という仮想空間は、後述するソーシャルVRのようなもので、Belleのような「バーチャル

シンガー」は、実際のソーシャルVRにも存在しますし、メタバース内でコンサートというイベントが行われ、仮想空間ならではの（つまり、現実には予算等の諸事情で実現不可能な）演出がなされているところなどは、実際のソーシャルVRとまったく同じといえます。

　ちなみに、同じ細田守監督の作品『サマーウォーズ』でもメタバースが描かれています。

●アニメ『ソードアート・オンライン』

　2009年に刊行が始まったライトノベルが原作で、TVアニメ第1期がオンエアされたのが2012年。以来、劇場版などを交えながら、シリーズは現在も続いています。

　この『ソードアート・オンライン』は、先に紹介した『レディ・プレイヤー1』『竜とそばかすの姫』よりも年代的には先行する作品ですが、メタバースと現実世界との関係については、より踏み込んだ解釈になっています。

　つまり、「現実世界が主で、メタバースが従」ではなく、「メタバースが主で、現実世界が従」になっているのです。

『ソードアート・オンライン』とは、アニメのタイトルであると同時に、主人公キリトたちがプレイするゲームのタイトルです。

ユーザーがVRヘッドセットを装着してゲームの世界に没入し、ほかのユーザーと協力して敵を倒す**MMORPG**（オンラインゲームなどで、同じ仮想空間に多人数のユーザーが参加して、コミュニケーションを取りながら協力して敵を倒すもの）と呼ばれるタイプのゲームで、設定では約1万人が同時にプレイしています。

しかし、開発者がログアウトを無効にしてしまったため、キリトをはじめとするすべてのユーザーがゲームから出られなくなり、仮想空間（メタバース）で生きるしかなくなってしまいます。

ですから、物語の舞台はメタバース内が中心で、TVシリーズでは冒頭で主人公がヘッドセットを被るシーン以降、10話以上にわたって現実世界はまったく描かれません。

主人公（のアバター）たちは、メタバース内でモンスターを倒すだけでなく、友情を育んだり、パートナーを見つけて結婚して家を持ったりするなど、現実世界のような生活を営んでいくのです。

1 | メタバースは
なぜわかりにくい?

　実際に、メタバース推進派のなかには、将来は食事と排泄以外のすべての生活をメタバース内で行う時代が来るだろうと予言する人がいます。もし本当にそうなったらどうなるのか？　『ソードアート・オンライン』が描いているのはそういう世界です。

　このほかにも、メタバースを題材にした映像作品には『マトリックス』『インセプション』『アバター』『フリーガイ』『アップロード』『電脳コイル』『攻殻機動隊』などがあります。

メタバースが
実現する
「体験の共有」とは

メタバースは3次元のインターネット

　メタバースとは『レディ・プレイヤー1』や『竜とそばかすの姫』に出てくるような、あるいは『ソードアート・オンライン』の主な舞台となっているような「インターネット上の仮想空間」のこと。そう考えておけば、まずは正解です。仮想空間に自分自身の分身（アバター）となって入っていけるのが、メタバースです。

「メタ」とは、ギリシャ語に由来する「高次元の」「超越した」という意味の接頭語。たとえば、「メタサーチ」といえば、「複数のデータベースを一括して検索すること」で、旅行比較サイトなどで使われています。

　また、「メタフィクション」は、フィクションであることを意図的に表現することで、ドラマの登場人物がカメラ目線で観客に話しかけるシーンなどを指します。

　この「メタ」と、宇宙を表す「ユニバース」を合わせた造語が「メタバース」──といえば、なんと

なくイメージできるでしょうか。

　ではいったい、メタバースとはなんなのか。
　メタバースをよく理解している人たちが、メタバースのもっとも簡単な定義としてよく使う表現が、**3次元のインターネット**です。
　なるほど、進化はいつも上の次元を指向しますから、イメージとしては捉えやすいですね。アニメやゲームは、よりリアルな表現をめざして2次元＝絵の世界から、立体的な表現＝3D的表現を実現させてきました。
　昔のアニメのキャラクターはたいてい平面的でしたが、現代では3D技術を用いた表現が主流になっています。ホームページも、昔に比べて3D表現を使ったものが多くなっています。
　しかし、それが「3次元のインターネット」ということなのでしょうか？
　いまのインターネットは「2次元」ということなのでしょうか？
　ここで改めて、メタバース以前のインターネット、つまり、現在のインターネットについて考えてみましょう。

2次元のインターネット=情報の共有

　インターネットが実現しているもっとも大きなメリットは、情報の共有です。たとえば、ウィキペディア。世界を構成するあらゆる物事に関する情報が集められ、どこかのサーバーに格納されています。インターネットにアクセスすれば、誰でも情報を引き出すことができます。

　ウィキペディアに限らず、ネット上にあるあらゆる情報は、グーグルなどの検索エンジンによって検索可能です。何かわからないこと、気になることがあると、まずスマホを取り出してググってみる、というのが、現代人の典型的な行動パターンでしょう。

　ネットにつながっている情報は、基本的にはすべてのユーザーが共有することができる。それが現代のインターネット社会です。

　もちろん、個人のプライベート情報や企業の機密情報など"カギのかかった"情報もたくさんあります。とはいえ、たいていの情報はデジタル化されて保管されているので、ハッカーなどがカギをこじ開

ければ、アクセスできるということになります。し
かしそれはまた別の問題なので、ここでは深入りし
ません。

　2次元とは「情報」。別の言い方をすればデータの
ことで、テキスト、数字、画像、動画、あるいはソー
スコードなどを共有するのが、現在のインターネ
ット社会です。情報を扱うのがコンピュータの仕事
なので、これは当然です。

3次元のインターネット＝体験の共有

　では、2次元が3次元になるとはどういうことで
しょうか。それは「体験の共有」ができるようにな
るということです。

　3次元になると空間ができます。ネット上の仮想
空間です。しかし、仮想とはいえ、そこに移動する
ことができたら、その空間そのものを、あるいはそ
の空間で起こることを体験することができます。そ
して、その空間で誰かと"一緒にいる"ことができ
たら、そこでの体験を共有することができます。

　これが、情報を共有する「2次元のインターネット」との決定的な違いです。

　たとえば、ウィキペディアで「ボルダリングについて知る」ことはできます。「ボルダリングの映像を見る」こともできます。しかし「ボルダリングを体験する」ことは、できません。3次元のインターネット＝メタバースなら、それも可能だということなのです。

メタバースでは「ショッピングを体験」できる

　メタバースで、私たちの暮らしがどう変わるのかについては、さまざまに言及されています。

　たとえば、ショッピング。いま、多くの人が、アマゾンや楽天などのネットショッピングを利用しています。ブランドのサイトに直接行って購入する人もいるでしょう。

　もはや「買い物は実店舗よりもネットのほうが中心」という人も多いはず。とくにコロナ禍で、その傾向は強まっています。

　ショッピングに関しては、いまのインターネットでも十分に便利です。それが「3次元のインターネット」であるメタバースでは、どのように変わるのでしょうか。

　予想されるのは、たとえば、こんなショッピングシーンです。

　メタバースにある仮想店舗に入っていくと、ディスプレイされている商品を見ることができます。きれいにコーディネートもされているかもしれません。そこで、店員（のアバター）に声をかけて、商品について詳しく説明してもらったり、着こなしについて相談に乗ってもらったりすることもできます。

　あるいは、友達（のアバター）と一緒に商品を選びながら「これは似合いそう」とか「これは派手すぎる」とか、おしゃべりしながらショッピングを楽しむこともできます。実際に（アバターが）試着してみて、友達に感想を聞くこともできます。

　つまりそれは、ただ商品を選んで購入ボタンを押すだけでなく、ショッピングという体験を楽しむことができるということ。アマゾンで買い物をすることと、メタバースで買い物をすること。その違いは「体験」だといえます。

2 | メタバースが実現する「体験の共有」とは

メタバースでは 「ライブを体験」できる

あるいは、音楽を楽しむ場合はどうでしょう。

コロナ禍でフェスやライブが開催できなかった時期、多くのアーティストがライブのネット配信を行いました。スタジオやステージで無観客のなか歌ったり演奏したりし、"観客"はその音と映像をネットを通して鑑賞したわけですが、これだと「DVDを見るのとあまり変わらないじゃないか」と感じる人も多いはずです。

メタバースでのライブイベントなら、そこがライブ会場になります。観客はアバターとしてライブ会場に行くことで、そこでライブに参加し、集まった大勢の観客（のアバター）とファン同士、一体感を楽しむことができます。

もちろん、友達を誘って一緒に行くこともできます。つまり、ライブに行くというイベントを体験できるのです。

実際に、現在メタバースにもっとも近いといわれる「フォートナイト」や「VRChat」内では、アー

ティストやアイドルのライブも行われていて、メタ
バース内で友達と待ち合わせをしてから一緒にライ
ブを見て、そのあとは仮想のバーで盛り上がる、と
いったことも行われています。

もっとも有名なメタバースの定義「七つの条件」

　メタバースの本質が「体験の共有」であることを
理解したところで、改めて、メタバースとはどんな
ものなのか、見ていきましょう。

　前述したように「メタバースとは、こういうもの
だ」という明確な定義はまだありません。しかし、
さまざまなキーパーソンがその定義について言及し
ています。

　アメリカのベンチャー投資家でマシュー・ボール
という人がいます。元アマゾン・スタジオの戦略責
任者だった人です。彼がメタバースについて、七つ
の必須条件を示しています。いまのところ、これが
もっともよく引用されるメタバースの定義だといえ
るでしょう。

1. 永続的に存在すること

　これは、メタバースは常に存在していて、ユーザーは好きなときに入ったり、出たりできる空間ということです。

　初期のRPGのように、ユーザーがゲームをしているときだけ現れたり、途中でリセットして最初からやり直しできたり、あるいはラスボスを倒すとそこで終了してしまったりする世界は、メタバースではありません。

　現実世界では、街に誰も人がいないときでも、街はそこにあってちゃんと時間が流れています。同じようにメタバースも、ユーザーが1人も参加していないときでさえ、そこに存在していることが重要なのです。

2. リアルタイムであること

　体験を共有するためには、そこで起こっているイベントを、複数のユーザーがリアルタイムで体験できることが必要です。

　メタバース内のライブイベントは、参加する観客も、ステージ上のアーティストも、ともにアバター

です。

　しかし、リアルタイムで同じ仮想空間にいるという感覚があることで、ライブを体験するイベントとして成立しています。そこが、DVD鑑賞とは異なるところです。

　ちなみに、このようなライブイベントを、主催者がデータとして保存しておいて、あとで再生することも可能です。こうした場合は厳密にはリアルタイムではなく、疑似体験ということになります。

3. 同時参加人数に制限がないこと

　同じ仮想空間に、複数のユーザーが同時に参加することで、そこでコミュニケーションが生まれ、体験の共有が可能になります。1人で仮想空間を体験するだけではVR体験であっても、メタバースとはいいません。

　ちなみに、同時参加人数に制限のないメタバース（的なサービス）は、まだ存在しません。仮想世界は、あくまでコンピュータが計算して描き出している世界なので、参加人数が多くなりすぎると、処理能力が追いつかなくなるという現実的な問題が発生するためです。

4. 経済活動があること

　仮想空間内で、協力して敵を倒したり、チャット
してコミュニケーションを取ったりするだけでは十
分ではありません。そこに社会のようなものが発生
して、なんらかの社会活動が始まること──それが
メタバースの条件の一つです。

　なんらかの活動が発生すれば、そこには必ず経済
が発生します。たとえば、武器を売買したり、アバ
ターの服（あるいはアバターそのもの）をデザインし
て報酬を得たり、という経済活動が行われるように
なります。あるいは、メタバースの土地を購入して、
そこに住む権利を得ることも経済活動です。

　ちなみに、初めてメタバースの概念が登場した
SF小説『スノウ・クラッシュ』でも、土地を取得し
て家を建てたり、取引をしたりという経済活動が描
かれていました。

5. 実社会との垣根がないこと

　これは七つの条件のなかでも、賛否のある項目で
す。マシュー・ボール氏は、メタバースは現実世界
と"垣根なく"つながっているべきだと言います。

　つまり、メタバースは現実世界とはまったく切り離されたパラレルワールドではなく、現実世界の延長であるべきだということです。これは、あとで触れる**ミラーワールド**（53ページ参照）にも通じる考え方です。

　この場合、アバターは現実の自分自身とまったく別人格でなく、現実の自分の分身ということになります。

　しかし、VRソーシャルメディアのヘビーユーザーには、メタバースは現実とはまったく別の空間でそこで現実とはまったく別の自分になれることこそ、メタバースの魅力だと考える人も多くいます。

　マシュー・ボール氏の考えは、いまのところの一つの考え方で、今後、メタバースがどのように発展していくか、どのようにユーザーに受け入れられていくかで、状況は変わってくるでしょう。

6. 相互運用できること

　相互運用とは、複数のメタバースを自由に行き来できるということ。たとえば、メタバースが変わっても、同じアバターを使えるということです。

　通常、RPGなどではゲームの最初にアバターを設

定しますが、そのアバターはそのゲーム内だけのものです。別のゲームに行けば、また別のアバターが必要になります。ゲーム内で獲得したアイテムも同じです。

　将来、メタバースに"住む"時代が来るとしたら、これでは不便ですね。同じアバターのまま、Aのゲームの世界、Bのゲームの世界、あるいはCのソーシャルVRへ行けるかどうか、それはアイデンティティの問題です。

　メタバースは、いずれはすべての空間がつながった一つの大きな空間になるだろうと考えられていて、それを**オープンメタバース**（125ページ参照）と呼びます。オープンメタバースが実現すれば、ユーザーにとって大きなメリットになるはずですが、現状では、技術的な問題を含めてハードルは高いといえそうです。

7. さまざまな企業や個人の貢献によって 　 運営されること

　ひと言で言えば「公共性がなければならない」ということです。

　どこか一つの企業の利益のために運営される空間であっては、マシュー・ボール氏の考えるメタバー

メタバースの定義

1. 永続的に存在すること
2. リアルタイムであること
3. 同時参加人数に制限がないこと
4. 経済活動があること
5. 実社会との垣根がないこと
6. 相互運用できること
7. さまざまな企画や個人の貢献によって
   運営されること

めざされるのは

体験の共有

誰もが使いこなせる
汎用のプラットフォーム
である必要がある

元アマゾン・スタジオ
戦略責任者
マシュー・ボール氏

スではありません。さまざまな企業や個人が自由に参加することで、さまざまなイベントやコンテンツにあふれ、そのことによって成り立っているのがメタバースなのです。

　以上、七つの条件をクリアしたものをメタバースと呼ぶとマシュー・ボール氏は言っていますが、そのような仮想空間はまだ存在しません。その意味では、これは「理想のメタバース」と呼ぶべきかもしれません。

　しかし、この七つを見渡してみるだけでも、メタバースは一部のゲーマーやギーク（パソコンおたく）だけのものではなく、「インターネット」や「スマホ」のように広く普及して、誰もが当たり前のように使いこなせる汎用のプラットフォームをめざしていることがわかるでしょう。

　少なくとも、いまメタバースの周辺にいる人は、そのような未来を見ているということがわかるはずです。

カギとなるもう一つの条件は「没入感」

　メタバースの定義は決まっていないと述べましたが、さまざまな人がさまざまな定義を示しています。マシュー・ボール氏の「七つの条件」もその一つですが、「これですべてを網羅しているわけではない。ほかにも重要な概念がある」と考えている人もたくさんいるのです。

　なかでも、多くの人が挙げているのが「没入感」です。「没入感」はメタバースを語るときによく使われる言葉で、メタバース用語の一つといってよいかもしれません。

　仮想の空間に実際に入り込んでいる感覚で、具体的にはVRヘッドセットを装着して仮想世界の"なか"にいる状態です。

　VRヘッドセットは、後述するように現実の視界を遮断して仮想空間を3Dで見せてくれるだけでなく、仮想空間の相手の声が聞こえたり、**トラッキング**（140ページ参照）技術でアバターが自分自身であるかのように動く感覚も感じることができます。

　それにより、PC画面やスマートフォンで見るの
とはまったく違う、文字どおり "別次元の" 体験が
できるわけです。

　この没入感こそ、メタバースの重要な要素であり
最大の魅力なのだから、メタバースの条件として外
せない、という考え方がある一方、いや、必ずしも
没入感は必須ではないという考え方もあります。

　実際、メタバースを志向するサービスのなかには
VRヘッドセット装着を前提としないものも、たく
さんあります。ヘッドセット装着がおすすめだけれ
ども、必ずしもしなくても構わない、十分に楽しめ
るというスタンスです。

「あつ森」「FF14」は メタバースなのか？問題

「あつ森」は社会性はあるが、没入感がない

「メタバースとはどんなものか」を説明するとき
に、わかりやすい例としてよく挙げられるのが**「あ
つまれ どうぶつの森」**（以下「あつ森」）です。

　2020年3月に発売されたニンテンドースイッチ用のゲームで、全世界での累計販売数が3700万本超というヒット作なので、知らない人はいないでしょう。

　この「あつ森」ですが、「メタバースだ」といわれたり、「メタバースではない」といわれたり、「メタバースといわれることもある」などと曖昧(あいまい)に扱われたりします。

　ゲームの内容は、無人島に「移住」して釣りをしたり昆虫を捕ったり、四季の暮らしを楽しむという単純なものです。世界観も初期のRPGと大差なくもちろんVRヘッドセットにも対応していません。「あつ森」はメタバースではないという人は、この没入感のなさを指摘します。一方、メタバースだと主張する人は、複数のユーザー同士が交流する場であることを理由に挙げます。

　実際、「あつ森」内で、雑草取りを請け負う会社ができたり、アメリカのバイデン大統領が選挙活動をしたりと社会活動が形成されているのだから、という理屈です。

　何をもってメタバースと呼ぶかは、やはり視点の違いということになるでしょう。

「FF14」も社会性はあるが "目的" が決められている

　もう一つ、メタバースか否かで話題になるコンテンツに「**ファイナルファンタジー XIV**」（以下「FF14」）があります。「フォートナイト」などと同じMMORPG（27ページ参照）で、多くの人が同時に参加して、コミュニケーションを取りながらゲームを進めることができます。つまり、「あつ森」のように社会性があるわけです。

　フェイスブック社の社名変更をきっかけに、メタバースが急に注目を浴びたのですが、メタバースならすでに「FF14」があるじゃないか、と思った人も多かったのではないでしょうか。

　一方でまた、「FF14」はメタバースとはいえないという声もあります。「ゲームの世界が完全に運営側にコントロールされているから」というのが、その理由です。

　RPGには目的があります。その目的を達成するために、ユーザーは行動します。仲間とコミュニケーションを取るのは、最終的にはその目的のためです。運営側が用意する世界観やアイテムも、ユーザーをその目的に向かわせるための仕掛けです。

　しかしメタバースがめざすのは、もっと自由な世界です。

　仮想空間で何をするのも基本的には自由です（ただし、秩序を乱す行為は排除されることになります）。誰かが思いもよらないことを言い出して、思いもよらないことが始まるかもしれません。それがメタバースだと主張する人は、「FF14」をメタバースとは認めたがりません。

　この考え方に従うなら「あつ森」はメタバースだけれど、『レディ・プレイヤー1』も『ソードアート・オンライン』もメタバースではないということになります。繰り返しになりますが、何をもってメタバースと呼ぶかは、視点の違いによるのです。

メタバースがめざす二つの方向

　メタバースは立場によって、見え方・捉え方がまちまちであると述べましたが、前述した没入感に関連して、メタバースの二つの方向性についても少し触れておきましょう。

　メタバースがめざす方向には、大きく二つあると
いえます。

　一つは、現実から隔絶した別世界です。ログイン
すれば、アバターというもう１人の自分になること
ができ、もう一つの時間を生きることができます。
現実の自分から解放されて自由になれます。

　RPGでどっぷり世界観に浸りたいユーザー、ソー
シャルVRのユーザーが語るメタバースは、どち
らかというと、こちらのメタバースです。

　もう一つは、現実をより便利に快適にするため
の、拡張機能としての仮想空間です。

　たとえば、Metaが提供する「**Horizon Work-
rooms（ホライズン・ワークルーム）**」（116ページ参
照）のように、いままで会社の会議室で行っていた
ミーティングをバーチャル会議室で行えば、現実世
界ではどこにいても移動時間なしに気軽に参加でき
て、場所や時間の制約から自由になれます。

　ビジネスパーソンがトレンドとして語るメタバー
スは、どちらかというとこちらのメタバースを想定
していることが多いようです。前述のマシュー・ボ
ール氏が考えるメタバースも、こちらに近いといえ
るでしょう。

現実をより便利、
快適にする拡張機能

現実の自分を離れる
もう一つの世界

　こちらのメタバースは、あとで述べる**AR**（拡張現実。133ページ参照）や**デジタルツイン**（次項目参照）などとも関連してきます。メタバースとひと言でいっても、そのめざすところは、じつはかなり振り幅が大きいことがわかりますね。

　しかも、二つの方向はまったく別ではあるものの、同時に成り立つ場合もあります。たとえば、美少女キャラやモンスターなど、お気に入りの「もう1人の自分」の姿でバーチャル会議室に集合して、アイデアを出し合ったり議論を交わしたりすることもできるわけで、そのようなミーティングを行っている企業も実際にあります。

メタバースと関係が深い「デジタルツイン」と「ミラーワールド」

現実世界のものや空間を再現する「デジタルツイン」

　メタバースのめざす二つの方向、その後者をより明確に意識したものに、**デジタルツイン**と**ミラーワールド**があります。

　デジタルツインとは、現実世界にあるものや空間とまったく同じものを、仮想空間に再現したもの。つまり、仮想空間上のコピーです。**CADデータ**（CADは製造業務での設計や製図を支援するシステムソフト）などをもとに同じものをバーチャルに作り上げるだけではなく、現実世界からリアルタイムで情報を収集することで、現実世界と常に連動しているところがポイントです。

　たとえば、製造業において工場内の設備のデジタルツインを構築しておくと、生産ライン上にどのような問題が発生するのか、実際にトラブルが発生する前に、デジタルツインで発見して事前に対処することができます。

　通常は、メタバースというよりは、企業がテクノロジー＝ITを利用して事業の業績や対象範囲を根底から変化させることを表す**DX（デジタルトランスフォーメーション）**に関連する技術として捉えられています。

　施設設備だけでなく、エリアや都市、地域などの大規模で構築したデジタルツインは、後で紹介する国土交通省の「**PLATEAU（プラトー）**」（172ページ参照）のように、メタバースの有効な活用法の一つです。

デジタルツインを現実世界と連動させたのが「ミラーワールド」

　デジタルツインは、現実世界とは別に存在する現実世界のツイン（双子）ですが、これを現実世界と連動させたものがミラーワールドです。

　ミラーワールドとは、巨大なAR（拡張現実）世界で、言わば、巨大なメタバースが、現実世界の上に多層的に重なっている――という状態をイメージするとわかりやすいでしょう。

　具体的には、**スマートグラス**（軽量小型化で、現実と仮想現実の両方を見ることができる装置）を装着すれば、たとえば「**ポケモンGO**」（スマホ向け位置情

報ゲームアプリ。位置情報を活用することにより、現実
世界そのものを舞台として、ポケモンを捕まえたり、交
換したり、バトルしたりするといった体験ができる）の
ように、別の場所にいる人を目の前に呼び出して、
仕事の打ち合わせをすることができます。

　歩きながらスマートフォンの画面を確認しなくて
も、進むべき方向を矢印が先導してくれるかもしれ
ません。あるいは、目の前の人や物、地形や建物に
ついて、欲しい情報をその場で見せてくれるという
機能も考えられるでしょう。

　いずれ世界をすっぽり覆うようなミラーワールド
が完成すれば、「100万人がミラーワールドで協働
する未来」が来るだろうと、米テックカルチャー・
メディア雑誌『ワイアード』の創刊編集長ケビン・
ケリー氏は述べています。

　現実とは別世界のメタバースと、現実を多層化す
るミラーワールド（ちなみに、ミラーワールドも広義
ではメタバースの範疇（はんちゅう）と解釈できますが、前者のみをメ
タバース、後者をミラーワールドと呼んで区別する場合
もあります）。あるいは今後の技術革新次第で、もっ
と別な方向のメタバースもありうるかもしれません。

技術より
夢が先行していた
メタバース前史

40年前にVRを先取りしていた映画 『ブレインストーム』

「ニューラリンク」の登場を予言していた？

　メタバースとは「体験を共有する」ことだと前述しましたが、体験の共有自体は、現在のように **XR（クロスリアリティ）技術**（6章参照）が発達する以前から、人類の夢の一つでもありました。

　たとえば『ブレインストーム』という1983年のSF映画があります。40年も前の映画ですが、現代のVR（バーチャルリアリティ）技術を先取りするような内容になっています。

　人間の体験は、すべて五感で感知され、その信号が脳で処理されることで認識されます。たとえば、おいしい料理を食べると、舌がその味を感知し、電気信号に変えて神経を通して脳に送ります。脳はその信号を受け取ることで「おいしい！」と感じているわけです。

　この脳に到達する信号を、途中で"傍受"して別の人の脳に送り込めば、その人はその料理を食べて

いないのに、同じように「おいしい！」と感じます。

『ブレインストーム』では、五感で感じるすべての情報を別の人の脳に送ったり、磁気媒体に記録して別の人が"再生"したりできる装置が登場します。

じつはこの装置、現在、アメリカの実業家イーロン・マスク氏が開発を進めている**ニューラリンク**と発想は同じといっていいでしょう。これは、脳にチップを接続するという過激なものですが、いわば脳とコンピュータを直接結ぶ技術です。

この技術が完成すれば、頭で考えただけでコンピュータに指示を送ることができることになり、メタバース内のアバターを文字どおり"意のままに"動かせるようになります。

〈ニューラリンクの仕組み〉

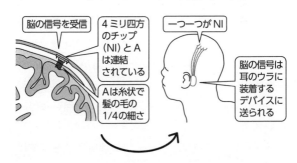

脳の信号を受信

4ミリ四方のチップ（NI）とAは連結されている

一つ一つがNI

Aは糸状で髪の毛の1/4の細さ

脳の信号は耳のウラに装着するデバイスに送られる

SFや映画で描かれた仮想世界

　もちろん、『ブレインストーム』が制作された時代
には、VR 技術もメタバースもありませんでした。
その後、1998年に『スノウ・クラッシュ』で初め
て「メタバース」が描かれたのは、前述したとおり
です。

　ただし、「ネットワーク上の3次元空間を作り出
して、そこで交流（あるいは戦闘）する」という概念
自体は、『スノウ・クラッシュ』に前後して、いくつ
ものSF作品に描かれています。

　アメリカのSF作家、ウィリアム・ギブソンによ
る小説『ニューロマンサー』で描かれた「サイバー
スペース」は、『スノウ・クラッシュ』のメタバー
スと同じようなものですし、同じくギブソンの『あ
いどる』では、サイバースペース内のバーチャルな
キャラクターと結婚するという、現在のソーシャル
VRを予測したようなエピソードも描かれています。

　映画では、1982年の『トロン』や1999年の『マ
トリックス』が、早い時期に仮想空間を描いた作品
といえるでしょう。

　メタバースという言葉は、ここ数年で急速に注目

を集めるものになりましたが、その考え方＝「ネットワーク上の仮想空間を作り、そこでほかのユーザーと体験を共有する」は、すでに半世紀も以前から「こんなことができたらいいのに」と人類が夢想していたものだったのです。

あるいは、「いまはフィクションの世界だけど、理論的には可能なはず。技術が進歩したはるか未来には、必ず実現するはずだ」と確信していたかもしれません。

それを、フィクションではなく実際に実現しようとしたのは、コンピュータに精通したゲーム制作者たちでした。

1982　83　84　　　96　98　99

トロン
ブレインストーム
ニューロマンサー
あいどる
スノウ・クラッシュ
マトリックス

仮想現実の
アイデア自体
は昔から
あったんだ！

3 | 技術より夢が先行していた
メタバース前史

仮想現実の実現は、ゲームから

ハビタット──❶どんなゲームか

日本でバブル経済が崩壊する前の1986年に「ハビタット」というゲームが世に送り出されました。アメリカのルーカスフィルムのゲーム部門が制作したもので、いまでは「世界初のメタバース」「MMORPGの元祖」などといわれ、伝説的な作品です。

ただし「ハビタット」は、いまのRPGのような（モンスターを倒すなどの）ゲーム的要素はなく、むしろコミュニケーションを目的としたチャットに近いものでした。

画期的だったのは、画面にアバターが登場して、アバター同士が会話するようにチャットするという仕組みだったことです。

もちろん、当時のレベルでは、画像表現のクオリティは現代のRPGとは比べるべくもなく、アバターはドットの粗い2次元のキャラで、仮想空間は多少の遠近法は駆使しているものの、書き割りのよう

な平面的なものでした。初期の「マリオブラザーズ」を知っている人は、あんな感じだと思ってください。

それでも、自分の分身であるアバターが仮想空間を自由に歩き回り、時には別の空間にワープしながら、ほかのユーザーのアバターとコミュニケーションするというまったく新しい概念に基づいたゲームとして、多くのファンを獲得しました。

ゲーム内通貨も存在していました。それを使って武器や道具などを購入することもでき、要所要所に銀行窓口であるATMが設置されていました。現実の通貨とのリンクこそされていませんでしたが、ゲーム内で経済システムが成立していたことも、当時では画期的でした。

ハビタット──❷なぜ下火になったのか

この「ハビタット」は、1986年に**ベータ版**（ソフトウェアの正式版を発売・配布する前に提供される、開発途上のテスト版）のリリース後、世界各国に普及することなく２年でサービスを終了します。

当時はいまのようなネット環境が整っていなかったので、誰でも気軽に参加できるオンラインゲームは、まだありませんでした。

「ハビタット」も「クォンタムリンク」というパソコン通信サービスに加入し、「コモドール64」という対応機種を用意しなければプレイできませんでした。しかも、時間単位で料金が加算される従量課金制で、月々の課金が1000ドルを超えるユーザーもいたということです。

しかし、「ハビタット」が終了したのはユーザーが少なかったからとか、採算が取れなかったからという理由ではありません。運営が管理者の手に余るようになったからだといわれています。

「ハビタット」では、アバターは仮想空間を自由に歩き回ることができます。するとなかには、管理者が想定もしない行動をするアバターも出てきます。

コミュニケーションのもつれからアバター同士が仲違いして"決闘"に発展したり、ゲーム内のモノを別のモノに変えてしまったり、ということが繰り返されるようになります。それで本格運営は無理と判断され、ベータ版で終了となったのです。

のちに「ハビタット」の共作者チップ・モーニングスター氏は、「仮想空間の設計者は、コンピュータサイエンスだけでなく、経済学や社会学の原理も学ぶ必要があるだろう」と興味深い発言をしています。

〈アバター同士の会話を実現した「ハビタット」〉

「ハビタット」は、アメリカでのサービスを終了したのちに、富士通がライセンスを購入し、1990年に「富士通ハビタット」として日本でのサービスを開始。「ハビタットⅡ」「J-チャット」とリニューアルを繰り返したのち、2010年にサービスを終了しています。

セカンドライフ──❶どんなゲームか

　メタバースの歴史を語るときに、もう一つ、必ず引き合いに出されるのが「セカンドライフ」です。アメリカのリンデンラボ社が2003年に開発し運営している「セカンドライフ」は、『スノウ・クラッシュ』で描かれた「メタバース」のようなネット上の仮想空間を用意するだけで、決められたストーリーはありません。

　よくあるRPGのように、敵キャラを倒すとか宝物を探すことが目的ではなく、その仮想空間（メタバース）でユーザーは何をしても自由。のちに、**サンドボックス型**（87ページ参照）と呼ばれるゲームの元祖です。

　アバター同士は文字チャット、音声チャットで交流することができ、気軽におしゃべりを楽しんだ

り、旅をしたり、クラブで踊ったりして、現実とは別の"第二の人生"を楽しみます。また、仮想空間内の土地を購入して、自分で建物を建てて住むこともできるし、商売をすることもできます。

「セカンドライフ」が画期的だったのは、ゲーム内の通貨「リンデンドル」があり、リアル通貨とリンクしていた、つまり互換性があったことです。

たとえば、アバターのファッションや家具などのアイテムをデザインしたり制作したりして、リンデンドルを獲得すれば、それは実収入につながります。また、アーティストはライブイベントを開催して収入を得ることもできます。

しかし、もっとも大きなビジネスは、不動産投資でした。ゲーム内の土地を安く購入して転売することで、大金を稼ぐことができたのです。

当時、「セカンドライフ」の不動産売買で、100万ドルを稼いだというアンシェ・チェンという女性は、一躍「時の人」となり、『ビジネス・ウィーク』誌の表紙にも登場しました。

この報道をきっかけに、日本でもブームに火がつき、多くの企業が参入します。電通が「バーチャル

東京」をオープンさせたり、トヨタや日産が自動車の自動販売機を設置したりして、何かと話題になりました。

さらには、三越、野村證券、ソフトバンク、HIS、NTTドコモ、テレビ東京などの企業も参入したことで、「第1次メタバースブーム」とも呼ばれました。

セカンドライフ──❷なぜ下火になったのか

しかし、この「セカンドライフ」、2007年をピークに急激に勢いを失っていきます。

理由の一つは、技術的な問題でした。当時の一般的なPCの処理能力と通信速度では描画が追いつかず、アバターの動きがギクシャクしたり、フリーズしてしまったりして、スムーズに操作することができなかったのです。

また、ネットワーク上の制約で、同じ区画に同時接続できる人数が限られていたため、ユーザーが分散して、ゴーストタウンのようになってしまったこともマイナスでした。

また、そもそも目的が設定されていないため、「セカンドライフってどんなものだろう?」とやってきたユーザーが、仮想空間に降り立ったものの何をし

〈サンドボックス型ゲームの元祖「セカンドライフ」〉

さまざまな
企業が参加 ○

リアル通貨と連動 ○

目的がないため何をして
いいかわからない人が続出 ✕

セカンドライフ内の
不動産の売買が可能 ○

売る！　買う！

遊びながら
住むこともできる ○

処理能力が追い
つかなくなった ✕

★技術的な問題と画期的すぎ
るコンセプトゆえ停滞した
が、サービスは継続中

3 │ 技術より夢が先行していた
　　メタバース前史

ていいかわからずに、困惑してしまうという事態も起こりました。

　コンセプトが画期的だったためにセンセーショナルにメディアに取り上げられたぶん、熱が冷めるのも早く、第1次ブームは終わり、メタバースは忘れ去られました。

　しかしその後、10年以上の歳月をかけてPCや通信技術が格段の進化を遂げたことで、後述する「フォートナイト」や「ファイナルファンタジー XIV」などのコンテンツの登場とともに、再びメタバースに注目が集まっている、というのが現在の状況です。

　ところで、この「セカンドライフ」、「早すぎた」「失敗だった」と言われることが多いのですが、一方で、失敗という評価に異を唱える声も多く、現にサービスは現在も続いていて、アクティブユーザー数も再び増加しているといいます。

　運営するリンデンラボ社によれば、最盛期と同等の月間100万人に迫る勢いだとのこと。メタバースが注目されつつあるいま、「セカンドライフ」再評価の機運もあり、再びブームが来るかもしれません。

ユーザー目線で
知りたい！
いまメタバースで
できること

　いま、「第2次ブーム」が来ているともいえるメタバース。かつてのようにゲームばかりでなく、そこでできることはさまざまに広がっています。

　メタバースがめざすのは「なんでもできる空間」である以上、あえて分類するのはかえって無意味なのかもしれませんが、4章と5章では便宜上、「メタバースでできること」をリストアップして、代表的なプラットフォームと紐付けてみました。

　4章ではユーザー目線から、5章では企業の目線から紹介しているので、興味のあるほうから読んでみてください。

メタバースでエンタメを楽しむ

メタバース化が進んでいるゲームの世界

　メタバースで何ができるのか。ひと言で要約してしまえば、「体験の共有」だと前述しました。

　体験と相性のよいコンテンツといえば、まず、ゲームなどのエンターテインメントが挙げられるでしょう。ゲームは、現在のところ、ソーシャルVRと並んでもっともメタバース化が進んでいる分野です。1章で紹介した映画『レディ・プレイヤー1』、アニメ『ソードアート・オンライン』もともにゲームの世界でした。

　すでに何度か出てきていますが、同時に多人数のユーザーが接続してコミュニケーションを取りながらプレイするオンラインゲームを、MMORPGといいます。このMMOPRGの世界で、メタバースは独自に進化してきたという流れがあります。

　ちなみに、「ドラゴンクエスト」や「ファイナルファンタジー」のように、RPG自体は以前からゲーム

の世界では基本的なカテゴリーですが、ネットに接続しないRPGは、複数のユーザーが交流することができないのでメタバースとは呼ばれません。

┃もっともメタバースに近い ┃といわれる「フォートナイト」

RPGではありませんが、オンラインゲームのなかでも、「メタバースにもっとも近い」といわれているのが「**フォートナイト**」です。アメリカのエピックゲームズ社が開発し、2017年に公開したオンラインゲームです。

サードパーソン・シューティングゲームと呼ばれるもので、第三者視点でアバターを操り、仮想空間の島を舞台に、ほかのユーザーたちとバトルロイヤル（最後の1人になるまで倒しあう）を繰り広げる、というのが基本の設定です。

公開当初は、こうしたゲーム目的でログインするユーザーが多かったのですが、ほかのユーザーとパーティを組んで協力しあったり、コミュニケーションを取りあうなどの過程を通して、次第にソーシャルVR的な要素も生まれてきました。

最近のユーザーの「フォートナイト」内での過ごし方は、必ずしもゲームだけが目的というわけでは

なく、ただ仮想空間に集まって交流することが楽しくて「フォートナイト」にログインするというユーザーも、多くなってきています。

それに合わせて、2020年には「パーティロイヤルモード」が追加されました。ここでは、ユーザーは戦闘に参加せず、ボートレースやモトクロスを楽しんだり、音楽ライブを楽しんだりすることもできます。

フォートナイト内でのライブに見る可能性

"いま、メタバースがこんなことになっている"例として、よく引き合いに出されるのが、「フォートナイト」内の特設ステージで、人気ラッパーのトラヴィス・スコットがライブを開催したというトピックです。

行われたのは2020年4月、コロナ禍で多くのイベントが中止となり、今後のエンタメ界はどうなるのか？ と不安が広がるなかでの開催でした。

しかし、このバーチャルライブ、単に「リアルではできないから、その代わりにバーチャルで」という類のものではありませんでした。わずか9分間のステージでしたが、いくつかの点で、メタバースの

可能性を示すものといわれています。

　まずは、❶観客動員数が無限大になる。このとき「フォートナイト」に同時接続していたユーザーは、1230万人を記録しています。

　リアルでのライブの観客動員数の最多記録は、国内ではGLAYの20万人（1999年／幕張メッセ）、海外ではポール・サイモンの75万人（1991年／ニューヨーク・セントラルパーク）です。ちなみに後者は、チャリティのフリー・コンサートでした。

　これらに比べても、このバーチャルライブの観客動員は驚異的で、東京都の全人口（1396万人）にほぼ匹敵する数字です。

　現実のライブでは、観客動員数におのずと制限がかかります。会場にはキャパシティがあり、たとえば東京ドームであれば、5万5000人以上の観客を集めることは物理的に不可能です。

　しかし、メタバースなら会場のキャパシティはないので、無制限に観客を集めることができます。しかも、ユーザーは好きな場所で楽しめます。誰もが最前列でライブを楽しむことができるし、場合によってはステージに上がってアーティストの目の前でパフォーマンスを楽しむこともできます。

〈「フォートナイト」でのライブのイメージ〉

❸演出の制限がなくなる

❶観客動員数が無限大になる

❷どこにいても一瞬でライブに行ける

　また、メタバースでは❷アクセスの問題も解消されます。

　フェスを観るためにわざわざ会社を休んで会場まで行き、テントで寝泊まりする必要もありません。世界中のどこにいても、メタバースに接続できる**デバイス**（パソコンを構成する電子機器やパーツ、外部周辺機器までを指す）さえあれば、一瞬でライブ会場に駆けつけることができるのです。

　こうしたメタバースならではの特性は、観客だけでなく、アーティスト側にも大きなメリットがあります。大規模な会場を押さえる資金力がなくても大きなチケット収入が見込めるし、会場の設営や運営にかかる機材費、人件費を大幅に削減することができます。

　もちろんコンテンツの作成には費用がかかりますが、実際にかかるであろうリアルな諸費用と比べると、ずっと少なくてすむはずです。

　最後に、❸演出の制限がなくなるというメリットがあります。

　トラヴィスのライブでは、オープニングで巨大なトラヴィスのアバターが空から現れ、ステージを踏

み潰し、『進撃の巨人』(『別冊少年マガジン』で連載された、巨人と人間の戦いを描くダークファンタジー)のように街を跋扈します。その後、曲ごとに世界観が変わり、観客は火の海、水のなか、さらには宇宙空間へ……と、次々とワープしていくという構成になっています。

　こうした演出は、もちろんリアルでは不可能で、「だからこそメタバースの可能性を示す画期的なものだ」という評価がある一方で、「これはライブではなく、トラヴィスを題材とした映像作品ではないか」という声があるのも事実です。

　ただ、単なる映像作品とは異なる点は、(VRヘッドセットなどのデバイスを装着していれば)観客も同じメタバース空間に居て、それを(仮想)体験しているというところでしょう。

　こうしたイベントは、今後、ライブの新しい形として主流になるのか。それともやはり、アーティストがリアルに目の前で演奏・熱唱し、汗や唾が飛んできそうな体験こそライブだという方向は揺るがないのか。現時点ではまだ、予測できない状況といえるでしょう。

メタバースでコミュニケーションする

「3DのSNS」といわれるソーシャルVR

　現在、エンターテインメントと並んで、メタバース化がもっとも進んでいるのが、ソーシャルVRと呼ばれる分野です。**ソーシャルVR**とは、仮想空間でアバター同士が交流（テキストチャット、またはおしゃべり）する3DのSNSです。

　ユーザーは、ゲームを楽しむなどの特定の目的を限定せずに、メタバース内で仲間と会って交流するために、サービスを利用します。また、仮想空間内では、イベントを開催して観客を集めたり、それを楽しんだりすることもできます。

「VRChat」はソーシャルVRの代名詞

　「**VRChat**」は、2014年からアメリカのVRChat社が運営するソーシャルVRのプラットフォームのこと。「ソーシャルVRの代名詞」といわれるほどユーザー数が多く、最大で8万人以上のユーザーが同

時アクセスするといわれます。

　メタバースの定義について、VRヘッドセットなどのデバイスを装着して仮想空間に"没入"することが必須なのかどうか、さまざまな見方があることはすでに述べました。

　実際、仮想空間を歩いて見て回るだけであれば、VRヘッドセットなしでPCやスマホ画面で楽しんでいる人もたくさんいます。

　しかしソーシャルVRのユーザーはVRヘッドセット装着率が高く、なかでも「VRChat」では、ユーザーの9割がVRヘッドセットを装着しているようです。「VRChat」には、「ワールド」と呼ばれるいくつもの空間があり、ユーザーは自分の好きなワールドを作って楽しむこともできるし、ほかのユーザーが作ったワールドで遊ぶこともできます。

　ワールドの設定は自由で、おしゃべりを楽しむためのバーやラウンジのようなもの、アバターを試着できるワールド、モンスターと戦うゲームが楽しめるワールドなど、さまざまなものがあります。

「VRChat」のユーザーは世界中にいて、日本人はそのうち約4%を占めるといわれています。なお、コミュニケーションは基本、英語なので、ワールド

を選び間違えると英語で話しかけられて困ったりすることもあり得ます。

「クラスター」は企業寄りのサービスが売り

「**クラスター**」は、日本のクラスター社が管理運営するソーシャルVRプラットフォームで、2017年に正式にサービスを開始しました。

　さまざまなワールドを訪れてアバター同士が交流できるという仕組みは「VRChat」などほかのソーシャルVRと同じですが、当初、ビジネス用のVR会議システムからスタートしたということもあり、企業のためのバーチャルイベント会場という側面が強いプラットフォームです。

　そのため、より多くの集客が望めるよう、VRヘッドセット、PC、スマートフォンと幅広く対応していて、アクセスがしやすいこともメリットです。

「クラスター」には常設のワールドがあり、人気のワールドには「バーチャル渋谷」「バーチャル大阪」などがあります。

　また、三菱地所「バーチャル丸の内」、バーチャル遊園地「ポケモンバーチャルフェスト」などの商業イベントも多数行われる一方、コロナ禍には現実で

開催できなった入社式などの社内イベントを「クラスター」内で開催するケースも増えました。

2022年2月には、ユーザー自身がワールドを簡単に作成できる「ワールドクラフト」機能を追加するなど機能も充実し、同年7月には100万ダウンロードを突破しています。

「バーチャルキャスト」は配信機能が充実

ニコニコ動画を配信するドワンゴと、インフィニットグループが共同開発したプラットフォームが「バーチャルキャスト」で、2018年にサービス開始しています。

アバター同士で遊んだり、コミュニケーションしたりする機能のほかに、配信機能を備えているのが特徴です。

「スタジオ」と呼ばれる仮想空間には、カメラや動画プレイヤー、ホワイトボードなどが用意されていて、仮想空間内の様子を誰でも簡単に配信することができます。

「NeosVR」は自由度が高い

「NeosVR（ネオスブイアール）」はチェコのベン

チャー企業Solirax社が2018年から提供している
ソーシャルVRプラットフォームで、最大の特徴は
「自由度が高い」ことです。

　たとえば、アバターや3Dアイテムやワールドを
創造することがメタバース内のツールだけでできて
しまうということで、ソーシャルVRのヘビーユー
ザーに注目されています。

　技術的な話は難しくなるのでここではしません
が、重要なことは、ここに貫かれている「メタバー
スでは、現実世界でできることはすべてできるべき
だ」という考え方です。

　そのため、「NeosVR」内では、仮想通貨による
決済機能が用意されていて、現実空間と同じような
感覚で物やサービスを売ったり買ったりできる、つ
まり経済活動が可能です。

　いま、メタバースと呼ばれているプラットフォー
ムは、ゲームやバーチャル会議システムなどのサー
ビスからスタートして、進化するにつれ、じょじょ
に“なんでもできる”メタバースに発展していくケー
スが多いなか、「NeosVR」は、メタバースであ
ることを最初から意識したプラットフォームといえ
るでしょう。

　このほか、主なソーシャルVRとしては、アメリカのアゲインストグラビティ社が提供する「**レックルーム**」、モジラ社が提供する「**ハブス**」などがあります。

ソーシャルVRにヘビーユーザーが多いわけ

　「VRChat」をはじめとするソーシャルVRのユーザーは、滞在時間が長いことが多く、帰宅したらすぐにPCの前に座り（あるいはVRヘッドセットを装着し）、就寝までの時間をそこで過ごすのが習慣になっている人も多いようです。

　ソーシャルVRユーザーから見たメタバース（あるいはソーシャルVR）の魅力とは、どのようなものでしょう。

　一つは、すでに何度も言及していますが、現実とは別の"もう1人の自分"を生きられるということです。

　メタバースでは、自分の姿＝アバターを自由に設定できます。とくに「VRChat」では、必ずしも開発側が用意したパーツから選ぶ必要はなく、自分で作成したアバターを持ち込める仕様になっています。

　好きなアバターになれるということは「現実の容

姿から自由になれる」ということ。たとえば、映画『レディ・プレイヤー 1』のヒロインは、メタバース内では最強の美少女ですが、リアルでは容姿にコンプレックスを抱えていました。

　容姿だけでなく、人種、性別（LGBTQなど）からも解放されます。実際に、現実社会では男性であっても、メタバースでは女性のアバターをまとうユーザーもたくさんいます（198ページの「バ美肉」参照）。

　また、これは一般的なSNSに共通することですが、容姿以外の情報、たとえば、社会的地位とか経済的な格差、あるいは現実での交友関係などが無効化されるので「平等な立場で交流できる」ということもメリットです。

　IT企業のCEOと普通のビジネスマンが友達になることもありえますし、反対に、現実世界では有名人でも、メタバースでは一般人のように人目を気にせず振る舞うことも可能です。

　大げさな言い方をすれば、現実は何かと制約を伴うものですが、その制約から解放されるのがメタバースであるともいえるのです。

　そうなると、現実の自分よりもメタバースの自分
＝アバターのほうが、理想の(本来あるべき)自分だと
感じる人も出てきます。とくに、現実世界に生きづ
らさを感じている人はそう考えがちでしょう。そう
なると、メタバースで過ごす時間が増えていきます。

　ヘビーユーザーは「帰宅してから就寝まで」メタ
バースで過ごすと前述しましたが、メタバースにロ
グインしたまま就寝する人もいます。

　これは**VR睡眠**と呼ばれる行為で、VRヘッドセッ
トを装着したまま、自宅で1人でいながらバーチャ
ル空間では友達(あるいはパートナー)と一緒に就寝
するというものです。

　1人で眠る寂しさから解放される、修学旅行のよ
うなお泊まり気分を味わえる、起きたときに誰かが
そばにいる安心感がある、などのメリットが挙げら
れます。

　こうなるともう、現実世界よりもメタバースに暮
らしているといえるような状態になり、当然、交流
が恋愛に発展することもあります。

　メタバースで恋愛が起こりうるのか？　と思う人
もいるかもしれませんが、現実では会ったことない

者同士が恋愛感情を抱くということを、じつは多く
のユーザーが体験しています。

　現実には会ったことがなくても、発言はもちろ
ん、声（多くの場合は加工するなどして、現実とは異な
る声色を用いています）、仕草などで感情表現が可能
なので、そこには当然性格が反映されます。メタバ
ース恋愛では、アバターの容姿に惹かれるというパ
ターンもあるようですが、多くは性格が最初のきっ
かけになっているようです。

　ちなみに、メタバース内で恋愛関係になることを
「お砂糖」という、ソーシャルVR独自の用語で表現
します。

メタバースで創作する

「何でもあり」のサンドボックスゲーム

　もっともメタバース化が進んでいる分野がゲームであることは前述しましたが、ゲームのカテゴリーで、RPG以外にもメタバースに近いものとしては**サンドボックス型**と呼ばれるものがあります。

　サンドボックスとは、「砂場」のこと。砂場では誰もが穴を掘ったり、お城を作ったりして自由に遊べますね。

　そのことから、とくにゲームとしての目的を定めず、ユーザーが自由にモノを作ったり遊んだりする場を提供するプラットフォームを、サンドボックスゲームと呼びます。

　前章で取り上げた「セカンドライフ」は、まさにその早すぎた先駆といってよいでしょう。また、「あつまれ どうぶつの森」なども、サンドボックスゲームに区分されます。

「マインクラフト」はサンドボックスゲームの代表

　「マインクラフト」は、Mojang Studios社というスウェーデンのゲーム会社が開発した、代表的なサンドボックスゲームです。

　2009年に**アルファ版**（ベータ版よりさらに前の段階で、機能が足りない試作品）がリリースされたのち、2011年に正式リリースされました。2019年には、売り上げ1億7600万本を突破。「テトリス」の記録を抜いて世界で一番売れたゲームとなっています。「マインクラフト」は、前述したとおり、その遊び方＝ゲームの目的はとくに決められていません。しいていうなら、仮想空間に居場所を作って生活すること、冒険すること自体がゲームの楽しみです。

　ゲームには「サバイバルモード」と、「クリエイティブモード」があります。

　「サバイバルモード」では、何もないフィールドにポツンと立たされるところからゲームがスタートします。木を切り倒し、家を建て、食料を探し、まさにゼロから、ここでの生活を始めていきます。

　敵キャラが攻撃してくることもありますが、敵を

倒すのが目的ではなく、あくまでこの世界で生き残ることが目的で、敵キャラはその障害の一つにすぎません。

　ゲームを進めるにしたがって、さまざまな場所に冒険に行ったり、アイテムをゲットしたり、集落を作ってほかの住民とともに暮らしたりすることもできます。

「クリエイティブモード」では、さまざまな材料を使って、建築物や装飾物を作ることが主な目的になります。

　現実と違って、メタバースでは法的規制など何もないので、自分が思い描いたとおりの建築物を実現することができます。建物だけでなく、レゴワールドのように街全体、あるいは火山や島などの地形そのものすら創造できます。

　まさに、ゼロから世界を創る、天地創造ができる、というメタバースの魅力を、思う存分楽しめるのがこのサンドボックスゲームです。

　RPGが、運営側が創造した世界にログインして主人公になりきる（ロールプレイング）ことが目的だとすると、サンドボックスでは初めから自分が主人

公です。

　必要最低限の環境だけが用意されているので、ここから先は何をしても自由。天地創造さえできますよ、というのがサンドボックスの楽しみ方だといえるでしょう。

　このように「創造できること」は、メタバースの特徴であり、重要な要素でもあります。たとえば、代表的なRPGである「フォートナイト」にも、ユーザーが自由に「島」を作って遊べる機能が備えられていますし、ソーシャルVRでも、ユーザー自身が自由に空間（ワールド）を設定したり、そこでゲームを作って遊んだりすることができるようになっています。

「ロブロックス」には用意されたゲームがない?!

　「**ロブロックス**」は、アメリカのロブロックス社が提供する「ゲーミングプラットフォーム」と呼ばれるサービスです。ユーザーはさまざまなゲームをオンライン上でプレイできる、巨大なテーマパークのような仮想空間です。

　ゲームという目的がはっきりしているのに、なぜサンドボックス型といわれるのかというと、じつは

運営側は、ゲームを一つも用意していません。すべて、ユーザーたち自身が作ったゲームで構成されているのです。

　サンドボックスを訪れたユーザーは、好きなゲームを選んで楽しむこともできるし、自分でゲームを作ることもできます。

　ゲームを作ったら入場料を取ったり、課金アイテムを用意したりすることで、収入を得ることもできます。さらにゲームだけでなく、アバターのファッションアイテム（服やアクセサリーなど）も販売することが可能です。

サンドボックス型＝何をしても自由！

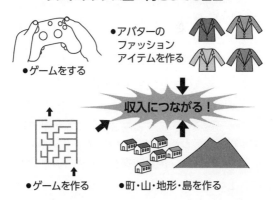

● ゲームをする

● アバターの
ファッション
アイテムを作る

収入につながる！

● ゲームを作る

● 町・山・地形・島を作る

　「ロブロックス」内の取引は、Robuxという通貨で行われます。Robuxは現実のマネーと連動しており、ユーザーはクレジット決済でRobuxを購入して「ロブロックス」内で支払う（あるいは儲ける）という仕組みです。

　ユーザーが作り出したゲームはすでに5000万以上あり、常に増え続けています。その膨大なコンテンツ量と、そこに経済が発生する仕組みから「ゲームのYouTube」との異名もあります。

「ロブロックス」の正式リリースは2006年ですから、すでに歴史は15年以上。急激にユーザーが増えだしたのは、コロナ禍で子どもたちが外に出られなくなった2020年頃からですが、いまやユーザー数は世界で1億6000万人といいます。

　そのほとんどがティーンエイジャーといわれており、推定では、アメリカの9歳から12歳までの子どもの4人に3人がプレイしているそうです。

　2021年には、運営会社のロブロックス社がニューヨーク証券取引所に上場。時価総額は382億ドルでした。このとき、960人の従業員（のアバター）が、「ロブロックス」内に再現した証券立会所に集まって、上場を見守りました。

メタバースで稼ぐ

メタバースでは自然と経済活動が生まれる

メタバース内で多くの人が生活し、創造（生産）を行うと、そこには必然的に経済が発生します。

通常のRPGでもゲームが進むにしたがって、本来であれば敵を倒して手に入れるようなレアなアイテムや、経験値を積んで得られるような強力な武器を現実の通貨を支払ってでも手に入れたいとか、経験値を上げたアバターそのものを譲ってほしい……ということが発生するのは、当然起こりうる事態でしょう。

これまでは、管理側がそうした行為を認めていないケースがほとんどでした。

しかし、メタバース＝３次元仮想空間という概念が浸透してくると、そこでは現実で可能なことはすべて可能であるべきだと考え、あらかじめゲーム内通貨をリアル通貨と連動させ、現実世界と連動した経済システムを用意するようになります。前述した

「セカンドライフ」も、すでにその機能を実装していました。

　ユーザー（ゲームのプレイヤー）からすれば、課金システムということになりますが、仕組みは異なります。

　通常の課金システムでは、ユーザーが常に「買う」側で、管理側が一方的に収益を上げるようにできていますが、メタバースでの経済システムは、ユーザーがモノやサービスを「売る」側にもなり、収益を得ることが可能です。その際、売買の場を提供する管理側が一定の手数料を徴収します。

　前述した「マインクラフト」にも「マインコイン」というゲーム内通貨があり、リアル通貨と連動しています。たとえば、ゲーム内で誰もが「すごい！」と思うような建造物を作れば、それを販売できます。

　実際、マインクラフト内で建造物を作って売るプロマインクラフターという職業（？）があり、その1人、タツナミリュウイチ氏は、TBS系列の人間密着系ドキュメンタリー番組『情熱大陸』でも取り上げられました。タツナミ氏は、これまでアンコールワットやピラミッドなど、50を超える世界の歴史的

建造物を再現制作して販売してきたそうです。

　また、前述したように「ロブロックス」にも、リアル通貨とリンクしたゲーム内通貨Robuxがあります。

企業を通さない「個人対個人」の経済ができる!

　このような、個人対個人の新しい経済の仕組みを**クリエイターエコノミー**といいます。

　従来は企業が商品やサービスを提供し、個人がそれを消費するというのが一般的な経済活動の仕組みでしたが、クリエイターエコノミーでは誰もが商品やサービスの発信者になれる仕組みが整うことで、双方向の経済活動が可能になります。

　こうしたメタバースにおけるクリエイターエコノミーは、ゲームの分野から自然と発生しましたが、"メタバースでできること"がゲーム以外にも広がっていくことによって、クリエイターエコノミー自体も広がりを見せつつあります。

　たとえば、メタバースにログインするには、アバターが必要になります。アバターは、ユーザーにとって自分の分身であり、かつメタバースでの自己表

現のための最重要アイテムですから、アバターが着るファッションやアクセサリーを購入したいと思う人は多いでしょう。

　通常、アバターはプラットフォームの管理側が用意したパーツを選択することで誰でも簡単に作れますが、それらはあくまでもプラットフォームの世界観の範囲内です。より自分らしい、自分だけのアバターをまといたいと思うユーザーもいるでしょう。

　そうしたユーザーの声が強くなると、プラットフォームによっては、外部で制作したアバターのデータをアップロードして、好きなアバターを使用できるような仕様にするところも出てきます。

　しかし、アバターを制作するには、**blender（ブレンダー）**などの専用ツールを使用する必要があり、誰もがそのスキルを持つわけではありません。

　そこで、スキルがあるユーザーにアバター制作を依頼する、あるいはアバターのファッションアイテムをバーチャルショップで販売し、それを購入するというクリエイターエコノミーが成立します。

　また、ソーシャルVRでは、空間そのもの（ワールド）を設定することができ、これもまたアバター同様、自己表現の重要な要素です。注文を受けて発注

〈クリエイターエコノミーのイメージ〉

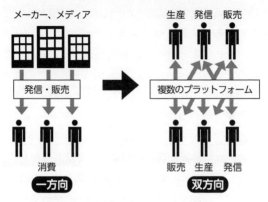

従来（一方向）と異なり、個人が商品や
サービスの発信者になれる（双方向）

者の思い描いたとおりのワールドを作るスキルがあ
れば、そこにも需要があるはずです。

「個人対個人」の市場規模は拡大中

　こうしたクリエイターエコノミーは、すでに発生
しつつありますが、その仕組みが十分に整っている
とはいえません。

　メタバース内でアバターの服を購入しても、メタ
バース内に決済システムがなければ別の**ECサイト**

（ネット上で商品やサービスを販売するウェブサイト）に移動することになるからです。また、ワールドの制作を収益化する仕組みはまだできておらず、こうしたクリエイターは十分に生計を立てるところまでは至っていません。しかし、メタバース内での決済機能を提供する金融機関なども出てきていて、仕組みは次第に整いつつあります。

　なお、クリエイターエコノミーは、必ずしもメタバース内だけの経済活動を指すものではありません。YouTubeやインスタグラムなどを通して動画や楽曲を発表し、稼ぐことが可能になったことで生まれた新たな経済圏、誰もがクリエイターになれる仕組みを称してクリエイターエコノミーと呼んでいます。

　クリエイターエコノミーは、コロナ禍の影響で近年大きな市場に発展していて、いまでは世界で約1000億ドル以上の市場規模といわれています。アメリカの投資会社シグナルファイヤー社の調査によれば、世界で5000万人がクリエイターとして活動し、そのうち200万人が専業として生計を立てているプロフェッショナルなのだそう。

　今後、メタバースが拡大するにつれて大きな市場になるだろうと予測されています。

メタバースで デジタル資産の売買・管理をする

メタバースと関係が深いNFTを知る

　メタバースが話題になりだしたのは2021年後半からですが、ちょうど同じ頃、話題にのぼるようになった言葉に**NFT**があります。メタバースもNFTも聞き慣れない人にはわかりにくい言葉であるうえ、互いに関連があるらしい、ということになって余計に混乱している人もいるかもしれません。

　ここではまず、NFTについて説明しましょう。NFTとはNon-Fungible Tokenの略で「非代替性トークン」と訳します。日本語にしてみても、なんだかわかりにくい言葉ですね。

　そもそも「トークン」とは、「通貨」「証明」などの意味ですが、ごく簡単に言ってしまえば、デジタルの貨幣です。

　「非代替性」とは、代替できない、つまり代えがきかないという意味です。

　たとえば、1万円札はどれも同じ価値があります。

自分の持っている１万円札と、誰かの持っている１万円札を交換しても、なんら問題はありません。代替可能です。

　しかし、たとえばあなたのお店に、大ファンの大谷翔平選手が来店して、１万円札で支払ったとしましょう。あなたは、その大谷選手が触れた１万円を手元に置いて宝物にするかもしれません。誰かが「その１万円札と、私の１万円札と交換してください」と言っても、答えは「ノー」でしょう。

　この１万円札は世界に１枚しかない。ほかの１万円札とは違うのだと、あなたは言うでしょう。それが「非代替性」ということです。

▍NFTは美術品の鑑定書のようなもの

　NFTとは「それが世界に一つしかない」ということを証明するサインのようなものです。美術品の鑑定書のようなものともいわれます。

　たとえば、現実の美術品は世界に１点しかありません。それゆえ、レオナルド・ダ・ヴィンチの『モナ・リザ』を見るには、わざわざフランスのルーブル美術館まで行かなければなりません。

　もしも、もう１点『モナ・リザ』があったとした

〈仮想現実でも"オンリーワン"が守られる NFT〉

アバター用の靴
（NFT アート）
を作った！

欲しい！

私も！

A

デジタルデータが
Aの所有物である
と証明できる

手に入れた！

A

NFT

ブロックチェーン
技術が支える

ら、困ったことになります。本物は一つだけのはず
ですから、どちらかが本物で、どちらかが偽物とい
うことになるでしょう。

　一方、デジタルデータは複写が可能です。
　手書きの原稿をコピー機で複写すると、オリジナ
ルとコピーは明らかに異なりますが、PDFデータを
PC上でコピーした場合、オリジナルとコピーの区
別はつきません。まったく同じデータである以上、
どちらが本物で、どちらが偽物ということがいえな
いのです。
　美術品などに高額な対価を払って手に入れる、自
分の所有物にするということは、それが唯一無二の
ものであることが前提です。
　レオナルド・ダ・ヴィンチの『モナ・リザ』を手
に入れようと思っても、まったく同じものが世界中
のいたるところにあって、これからいくらでも増え
ていくかもしれないと考えたら、高いお金を出す人
はいないでしょう。
　これでは（少なくとも従来の形での）経済システム
が成り立たない。それが、デジタル資産の売買（ま
たはデジタルなモノやコトの資産化）を難しくしてい

るのです。

　そのため、デジタルデータをコピーできないようにする、正確には「本物は世界に一つだけであり、その現在の所有者は〇〇である」ということを証明する仕組みが必要なのですが、それがNFTです。

　つまり、本来はコピー可能であるデジタルデータを、NFTという鑑定書と紐付けることで、世界で唯一のモノにしている（非代替性を付与している）ともいえます。

NFTを支えるのが、ブロックチェーン

　NFTを支えているのは、**ブロックチェーン**と呼ばれる技術です。

　ブロックチェーンというと、ビットコインなどの仮想通貨を連想するかもしれませんが、<u>ブロックチェーンとはそもそも、取引の流れを記録した台帳をネットワークで共有する技術</u>です。

　取引を記録したブロックが、チェーンのようにつながっていて、取引のたびに増えていきます。

　それぞれのデータは関連しあっていて、一部を書き換えて不正をしようとしても、チェーン全体を書き換えなければならないため、実質、書き換えは不

可能であるという仕組みです。この台帳は、ネットワーク全体で分散して保管され、監視されます。

このブロックチェーンの技術を用いて、改ざん不可能な鑑定書を付与するというのが、NFTの仕組みなのです。

NFTでデジタル資産が売買できるように

NFTによって何が可能になるのか。それは、デジタルデータを、現実のモノと同じように売ったり買ったりできるということです。

2021年3月、あるオンラインオークションで無名のデジタルアーティストの作品が、約6935万ドル（約75億円）で落札されて話題になりました。

それは、Beeple（ビープル）というアメリカのアーティストの『Everydays-The First 5,000 Days』という作品で、NFTに紐付いたデジタルアート作品（**NFTアート**、または単にNFTということもあります）でした。

この"事件"をきっかけに、NFTは急速に注目を集めることになり、以降、NFT投資が過熱します。「NFTを始める」といえば、NFTアートを売買して収益を得る、あるいは、自分で描いたデジタルアー

Beeple作『Everydays-The First 5,000 Days』
上の図は作品を構成する5000枚の画像のうちの一つである。
このNFTアートは約75億円で落札された。

トをNFTと紐付けて販売して収入を得ることを意
味するようになりました。

しかし、投資としてのNFTは、この本のテーマと
は直接的には関係はないので、いったん話をメタバ
ースに戻しましょう。

NFT系メタバースは"みんなで管理する"

　メタバースとはネット上の仮想空間のことなので、すべてがデジタルな世界です。そこでなんらかの経済活動が始まるとしたら、NFTはとても相性がよいということになります。

　すでに、RPGやソーシャルVR内で、アバターやアイテムの売買が始まりつつあるメタバースはクリエイターエコノミーを加速すると述べましたが、その多くはまだNFTに紐付けられたものではありません。しかし、NFTを導入したサービスも登場しはじめています。

　2018年にリリースされた「アクシー・インフィニティ」というゲームは、NFTを導入した**プレイトゥアーン**（ゲームをするだけでお金が稼げるゲーム）として話題になりました。

　ゲームの仕組みは「アクシー」と呼ばれるキャラクターを育成して対戦させることができるという、ポケモンのような仕組みで、一つ一つのアクシーがNFTになっています。つまり、アクシーを育てて売ることで収入を得ることができるのです。

　フィリピンなどの途上国では、ゲームで稼ぐこと

で生計を立てる人も出てきています。

すでにお話ししたように、「セカンドライフ」など
のサンドボックス型のメタバースは、そこで（現実
と同じように）生活することをめざしたものでした。
であれば、当然、NFTを導入するサンドボックス型
メタバースが現れるのも自然の成り行きです。その
代表が「**Decentraland（ディセントラランド）**」と
「**The Sandbox（ザ・サンドボックス）**」です。

●「ディセントラランド」

「ディセントラランド」は、2020年に一般公開さ
れた、サンドボックス型プラットフォームです。

「セカンドライフ」や「マインクラフト」のように、
ユーザーは仮想空間を自由に歩き回り、アトラクシ
ョン、ミュージアム、コンサートイベントなどを楽
しんだり、ほかのユーザーと交流したりできます。
また、LAND（土地）を購入して自分のコンテンツ
を作り上げることができる点も同じです。

では、「ディセントラランド」がほかのメタバー
スと異なる点は？　というと、ブロックチェーン
技術の上に構築されていて、**DAO**（Decentralized
Autonomous Organization：分散型自立組織）によっ

て運営されているということにほかなりません。

　簡単にいえば、従来のさまざまなプラットフォームが、運営主体である企業が一括して管理運営している（これを「中央集権型管理」といいます）のに対し、「ディセントラランド」はユーザー主導で運営しているのです。

　つまり、一定数以上のLAND（土地）やMANA（独自のトークン）を所有するユーザーの集団投票によって、運営方針が決まるということです。これを「非中央集権型管理」といいます。

「ディセントラランド」は、LANDやアバターなどのアイテムすべてがNFTとして管理されています。つまり所有権はユーザーのものとなり、デジタルでありながら資産価値があるということです。

　そのためにLANDが高額で取引されるようになり、投資対象として話題になりました。2021年11月にはカナダの投資会社が約3億円のLANDを購入するなど、今後は、企業として「ディセントラランド」に参入するケースも増えそうです。

●「ザ・サンドボックス」
「ザ・サンドボックス」は、その名のとおりサンド

ボックス型メタバースで、「ディセントラランド」と同様にNFTを導入しています。

　基本的な仕組みは「ディセントラランド」と同じですが、ゲームコンテンツが多く世界観がゲームっぽいこと、アートやゲームを制作するツールが充実していて制作した物を誰もが簡単にNFTとして販売できることなどの特徴があります。

　また企業との連携も多く、ファッションブランドのグッチやアディダス、日本からはSHIBUYA109、エイベックス、スクウェア・エニックスなどが参加しています。

「ザ・サンドボックス」は現在、開発者であるアメリカのピクソウル社を買収した香港のゲーム開発会社アニモカ・ブランズ社によって運営されていますが、「ディセントラランド」と同様に2022年にはDAO化する見込みです。

「ディセントラランド」と 「ザ・サンドボックス」の共通点

「ディセントラランド」も「ザ・サンドボックス」もともに、

・ブロックチェーンをベースに構築されている

・NFTを自由に取引できる

という共通点があります。

　現状、NFT系のメタバース（ブロックチェーン系、クリプト系ともいう）は、土地が高額で取引されることや、独自の仮想通貨を発行していることから、投資対象として見られることが多いです。

　しかし、本来は非中央集権的な世界（＝メタバース）の在り方をめざしたものであり、8章で説明する**ウェブ3（Web3.0）**の考え方に沿ったものであるということは、重要なポイントです。

　ここまでは主に、個人のユーザーの立場から「メタバースで何ができるのか」を紹介してきました。次章ではビジネス側、つまり企業活動の立場からメタバースを見ていきましょう。

企業にも
メリットが多い！
いまメタバースで
できること

メタバースで販売する

企業がメタバースに出店するメリット

　メタバースによって活性化するクリエイターエコノミーは、1人1人のユーザーが主役ですが、企業もまた、従来のビジネスを拡張する新たな市場として、メタバースに注目しています。

　企業にとって、メタバースにバーチャル店舗を出店するメリットはいくつもあります。

　まずは、❶話題性。現時点ではまだ、バーチャル店舗を出店する企業はそれほど多くはないので、出店すればそれだけで話題になり、バズる可能性があります。多くのメディアに取り上げられるかもしれません。「新しいことに挑戦する企業」というイメージは、ブランドにとって多かれ少なかれプラスになります。

　次に、❷実店舗を出店するよりもコストを抑えられるのも、大きなメリットです。賃貸契約や内装などにかかる費用はもちろん、人件費や在庫管理にか

かるランニングコストも少なくてすみます。

そのうえ、リアルでは実現不可能な豪華なディスプレイも自由自在なので、"金に糸目をつけず"にブランドの世界観を表現することもできます。こうした事情は、前述したバーチャルライブと共通するものがあります。

こうしたバーチャルショップで取引する商品は、大きく二つに分かれます。一つは、ネット上で流通するデジタルなアイテム。もう一つは、現実の空間で使うリアルなアイテムを、バーチャルなショップで販売するというパターンです。

アパレルを例にとれば、あるブランドが、アバターに着せる服をデザインして販売する場合が前者、リアルな服を販売する場合が後者です。ちなみに、ファッションブランドのバレンシアガは「フォートナイト」内のバーチャルショップでアバターが着る服を販売しながら、同じデザインの現実の服も販売するという試みを行っています。

バーチャルアイテムの売買については前項で言及したので、ここではリアルなもの・サービスをメタバースで販売するケースについて見ていきましょう。

メタバースでの買い物は ECサイトと何が違うのか

バーチャルショップでは、ユーザーは実店舗で商品を選ぶのと同じような感覚でショッピングを楽しめます。店に足を踏み入れ、どこに行けばどんなものがあるのかを知っています。

アパレルであれば、店頭には新着の商品がコーディネートされて、目に付くところに置かれているはず。それを見ながら、いま流行りのファッションを感じることができます。

なかほどには、Tシャツなどのカジュアルな商品、奥に行くとスーツなどビジネス向けの商品が並べられ、店員の接客を受けながら選ぶことができます。

ECサイトで膨大な商品のリストを何度もスクロールしたり、気になる商品に戻ったりするのは意外と面倒なのですが、バーチャル店舗では、お目当てのゾーンにまっすぐ行けば、目的の商品を感覚的に選び出すことができます。

また、店員の接客が受けられるということも、バーチャルショップのメリットです。店員のアバターは"人件費削減"のため、AIロボットである場合も多いのですが、なかには実際の店員がアバターとな

って、接客にあたるケースもあります。

　商品についてより的確なアドバイスが受けられるので、信頼できる店員だと思えば、後日、実店舗を訪れたときに対面で相談することも可能だし、友達と一緒に行って会話しながら選ぶこともできます。

　実物に手を触れることや試着ができない、機能性はわからないなどの限界はありますが、これらはECサイトでの買い物でも同じことですね。

　小売業からメタバースに積極的に進出している例に、170ページで詳しく触れるショッピングアプリ**「REV WORLDS（レヴ・ワールズ）」**を提供する三越伊勢丹や、**「バーチャルマーケット」**（122ページ参照）に継続的に出店するビームスなどがあります。

メタバースではリアルな買い物体験が可能に

メタバースでオフィスワーク

メタバースはワークスタイルを変えるか

　これまで見てきたように、メタバースの可能性は
ゲームを入り口として進化し、広がってきました。
そしていま、多くの人たちが今後、現実世界よりも
メタバースで生活することになるだろうという未来
が見えてきました。

　そうした予測が、どの程度的中するのかはわかり
ませんが、もしそうだとすれば、人々はメタバース
のなかでゲームばかりしているわけにいきません。
もっと現実的な過ごし方について考える必要がある
はずです。

　「メタバースで働く」ということも、その一つでし
ょう。働くという分野のプラットフォームには、
Metaの「**Horizon Workrooms（ホライズン・ワ
ークルーム）**」と、マイクロソフトの「**Mesh for
Microsoft Teams**」（以下、「Microsoft Teams」）
があります。

●「ホライズン・ワークルーム」

「ホライズン・ワークルーム」は、メタバースでミーティングやプレゼンテーションを行うためのサービスです。

ユーザーはアバターとして、テーブルを囲んでミーティングに参加したり、大勢の聴衆を前にしてプレゼンテーションしたりできます（最大50人まで入室可能）。

ミーティングでは、ホワイトボードに図や文字を書いたり、自分のパソコンをメタバース内に持ち込んで実際に操作しながら会議に参加したり、パソコンの画面をプロジェクターにつないで共有したりと、実際のミーティングと同じような感覚で、ウェブミーティングができるようになっています。

●「Mesh for Microsoft Teams」

「Microsoft Teams」では、すでに普及している「**Teams（チームズ）**」にアバターで参加できるという機能を、前面に打ち出しています。

「Teams」とは、メンバーとチャットする、資料を共有する、通話やビデオ会議を開催する、Office 365のサービス各種と連携するなどの機能が集約

して搭載されているツールです。

「Teams」をはじめとするウェブ会議では、最初の頃はカメラをオンにするのが当たり前でしたが、最近ではとくに必要ない場合には、カメラをオフにすることも多くなっています。ただ喋ったり、ときどき画面を共有したりするだけなら、常に正面からじっと見つめ合っているのも気づまりに感じる人もいるからです。

しかし、カメラをオフにすると、画面にはイニシャル入りアイコンが表示されるだけで、それはそれでまた味気ない……という人もいるでしょう。

アバターでのウェブ会議は、カメラにオンとオフ以外の選択肢をもたらすことになります。世界に2億5000万人いる「Teams」ユーザーは、すでにメタバースの入り口にいると、マイクロソフトは捉えているわけです。

もちろん、アバターでのウェブ会議だけでは、メタバースとはいえません。が、「Microsoft Teams」では、ウェブ上に仮想空間を構築して、そこでアバター同士が交流することもできます。

「Microsoft Teams」のリリースに際してホームページで公開された文章は、マイクロソフトのメタ

バースに対する考え方がよく表れています。

いわく、リモートワーカーたちは「廊下ですれ違ったり、給湯室で情報交換したり、思いがけない相手に遭遇したり」することがなくなって「お互いに寂しく感じて」いる。また、リモート会議では「相手のパーソナルな部分が見えず、人間関係やキャリアを築く機会が減っている」。

こうした不都合を解消し、コミュニケーションを活発にし、かつ生産性を高めるツールが、オフィスにおけるメタバースだと位置付けているようです。

Zoomでのウェブミーティングとの違いは

オフィスワークにメタバースを導入することは、現在一般的に行われているような、Zoomや「Teams」などによるウェブミーティングと比べた場合、どのようなメリットがあるのでしょうか。

もちろん、離れた場所にいながら必要な情報を伝達するというだけであれば、Zoomや「Teams」、あるいは電話会議などでも事足りるわけですが、「それだけでは何かが足りない」と感じている人も多いはずです。

たとえば、Zoomや「Teams」ではすべての参加

者が正面から向き合う形になるので、隣の人に気軽
に話しかけるなどの気軽なコミュニケーションがで
きにくくなります。画面のサイズが限られるので、
身振り手振りのコミュニケーションも限られてしま
い、立ち上がって、ボードを指し示して説明するな
どの動作も表現できません。

　しかし、メタバースでアバター同士が交流できれ
ば、実際に会って同じ空間を共有しているときと変
わらない、自然なコミュニケーションが可能になる
わけです。

メタバースなら Zoom や Teams では
不可能だった自然な会話が可能に

メタバースでイベントを主催する

コロナ禍で普及した「バーチャル入社式」

いまのところ、毎日バーチャルミーティングを行うほどには、企業はメタバースを利用しているとはいえません。しかし「特別な機会に限ってメタバースを利用する」ことに関しては、すでに実用の段階に入っているといえるでしょう。

メタバースのメリットの一つは、現実に会わなくても、同じ空間に多くの人を集めることができるということ。これは、コロナ禍以降のイベント開催にはぴったりなのです。

たとえば、入社式。コロナ禍でイベント自粛が求められるなか、メタバース空間でバーチャル入社式を行った企業が何社もありました。

メタバースであれば、人との接触がないので感染リスクを抑えられるのはもちろんですが、会場費や交通費、運営のための人件費なども節減できるというメリットがあるからです。

　もちろん、現実のイベントとまったく同じという
わけにはいきません。社長のスピーチはバーチャル
で聞くことができても、同期社員と交流するのもア
バター同士ということになります。仕事が始まって
も、同期なのにアバターでしか顔を合わせたことが
ない……ということになるかもしれません。

　しかし入社式のほか、企業には表彰イベント、総
会、店長会議など、さまざまな社内イベントがある
ので、こうしたイベントをメタバースで行うことに
は大きな経費削減効果があります。しかも、演出は
いくらでも派手にできるのです。

一般消費者向けイベントもメタバースで開催

　一方、一般消費者向けのイベントをメタバースで
行うということも、すでに実際に行われています。

　大規模なものでは、まずVRコンテンツの制作・
開発を行う日本の企業HIKKY（ヒッキー）が開催す
る世界最大のVRイベント「**バーチャルマーケット**」
があります。

　2018年に始まり、毎年開催されているイベント
で、当然ながらコロナ禍でも継続して行われていま
す。メタバース内のブースで販売されるものは、ア

バターやそのアクセサリーなどバーチャルなアイテムもありますが、衣服やファッション小物など現実の商品もあります。ビームスやJR東日本など約80社が出展しています。

以前は現実の会場で開催していたイベントを、コロナ禍なのでメタバース開催に移行したというケースもあります。

日本ファッション界の重要イベント「東京ガール

〈「バーチャルマーケット」のイメージ〉

「バーチャルマーケット」では、実際の都市を模した空間で
クルマの試乗をしながら目的地へ行ける

ズコレクション」は、2022年、メタバースでの開催となりました。

　また、1996年から開催されている「東京ゲームショウ」は、コロナ禍の影響で、2020年、2021年の2回の開催をオンラインで行いました。3年ぶりのリアル開催となった2022年は、リアル会場のほかにメタバース会場も用意されました。

メタバースでハロウィーンなどの「お祭り」も

　もう一つ、メタバースならでは特性を生かしたイベントの成功例として、「バーチャル渋谷au 5Gハロウィーンフェス2021」があります。

　ここ数年、ハロウィーン当日、渋谷のストリートに仮装した人たちが集まって騒いだりすることで問題になっていますが、コロナ禍では、感染拡大のリスクもあります。

　そこで、実際の渋谷の街に繰り出す代わりに、渋谷の街をそっくりそのまま再現したメタバース「バーチャル渋谷」に、仮装したアバターで集まろうというイベントです。

　アバターでの参加なら仮装もしやすく、どこからでも気軽に参加できます。このバーチャルイベント

には、世界中から延べ55万人もの人が参加したといわれています。

なんでもできる「オープンメタバース」へ

すべての活動はメタバースで可能になる?

メタバースで何ができるのか、改めて数え上げていくと、エンターテインメントからオフィスワークまで、本当に幅広いということがおわかりいただけたでしょう。

また、4章の最初に示したように、さまざまなプラットフォームを、これはゲーム、これはソーシャルVRというふうに、簡単にジャンル分けすることができないという状況がますます進行していることもおわかりいただけたかと思います。

実際、MMORPGとしてスタートした「フォートナイト」では、バーチャルライブが行われたり、ファッションブランドのバーチャルショップがオープンしたりと、いまやソーシャルVRやサンドボック

ス型と、実質的には変わらないプラットフォームと
なっているのは前述したとおりです。

メタバースでできることは広がっている

　では今後、この状況はどう進化していくのでしょ
うか。「将来的には、人々は人生のほとんどの時間を
メタバースで過ごすようになるだろう」という人も
います。

『ワイアード』の創刊編集長ケビン・ケリー氏が言
うように、地球をすっぽり覆うような「ミラーワー
ルド」が実現し、誰もがスマートグラスをつけて生
活するようになったら、日常そのものがメタバース
です。

　そのとき、多くの識者の見解で共通しているのは
「現在のように、さまざまなプラットフォームがそ
れぞれのメタバースを現出させるのではなく、一つ
につながった巨大な**オープンメタバース**になるだろ
う」ということです。

　一つの運営主体が独立したメタバースを構築して
いる**クローズドメタバース**では、それぞれ管理する
側の都合によって、できることが限られます。

　たとえばゲーム会社が管理するメタバースなら、

そこでの行動はゲームが中心で、世界観を壊すような建造物を創造することはできないように設定されるでしょうし、仕事のために必要なホワイトボードなどのアイテムは整っていないかもしれません。

　すべてが一つにつながったオープンメタバースになれば、そこで何をするのも自由です。したがって、

・RPGを楽しんだら、そのままのアバターでバーチャル会議に出席する
・息抜きにニューヨークに瞬間移動して、タイムズスクエアを散歩する
・猫の姿になって空を飛ぶ

　……ということも可能になるはずです。
「メタバースで何ができるのか」という問いには、現実世界でできることも、不可能なことも含めて、ほとんどなんでもできるという答えになるでしょう。
　プラットフォームをジャンル分けする必要もなく、インターネットのように、メタバースは、一つにつながった巨大なオープンメタバースとなるかもしれません。それがメタバースがめざす方向であり、メタバースの理想形だと考えてよいでしょう。

　しかし、実際にオープンメタバースが実現するためには、現在プラットフォームを運営している各社が、足並みをそろえて取り組む必要があります。また、巨大な仮想空間を維持するための技術的な問題も山積みです。

　そのため、オープンメタバースの実現には、まだまだ時間がかかるだろうというのが、多くの識者の一致した見解なのです。

VR、AR、MR、XR…
新技術が
メタバースを
進化させる

VR、AR、MR、XRとは何か

メタバースを支える技術

　メタバースが急に注目を浴びるようになったのは、フェイスブック社の社名変更が直接のきっかけでした。しかし、すでにお話ししたように、メタバースの概念はすでに1990年代からあり、それを実現しようとした「セカンドライフ」などのプラットフォームも登場しています。

　実際、「セカンドライフ」が登場したときには、第1次メタバースブームといってよいほどの盛り上がりを見せましたが、その後、ブームは急速にしぼんでしまいました。

　その理由の一つは、前述したように、技術の進歩が追いついていなかったことが挙げられます。当時出回っていた一般的なスペックのデバイスでは、ユーザーが満足できるようなメタバース体験ができなかったのです。

　逆に言えば、現在のメタバースブームは、ようや

く技術が追いついてきたということです。そして、今後このブームがさらに大きく広がっていくのか、メタバースが「インターネット」や「スマホ」のように一般的なものになっていくのかどうかは、今後の技術の進歩にもかかっているといえます。

そこで改めて、メタバースがどのような技術で成り立っているのかを見ていきましょう。

VRは「仮想の現実を体感させる技術」

VR（Virtual Reality：仮想現実） は、VRヘッドセットを装着して、映像を3Dで体感することで、そこにない現実を感じることができる技術です。すでに数年前から、テーマパークのアトラクションなどにも取り入れられているので、メタバースよりも広く知られていることでしょう。

「メタバースって、VRのことじゃないの？」という人がいますが、VRとは仮想の現実を体感させる技術のこと。メタバースとは、その技術によって出現させる「仮想空間」のことです。

VRを体感するには、一般的にVRヘッドセットを装着します。ただし「VRヘッドセットを装着して立体的な映像が見えている」というだけでは、メ

タバースではありません。

　メタバースの重要なポイントの一つは、同じ仮想空間に複数のユーザーが参加できるということです。VRヘッドセットを通して見ている空間に、別のユーザー（のアバター）が現れて、そこで会話などの交流ができるようになれば、それはメタバースだといえるでしょう。

　逆に、定義によりますが、メタバースに必ずしもVRは必須ではありません。実際、メタバースに近いといわれる「フォートナイト」「クラスター」などのソーシャルVRでも、VRヘッドセットなしで、PCやスマホからプレイすることができます。

　とはいうものの、VRを使うことで確実に没入感は増します。要は、メタバースに何を求めるかで、VRの重要度は違ってくるということです。現実世界とは別の、メタバースというもう一つの世界に没入したい人は、VRヘッドセットはなくてはならないものだと考えているはずです。

　ちなみに、VR＝「仮想現実」という訳語は適切ではないという声が、最近は強くなっています。「仮想」と言ってしまうと、本来はそこにないもの

を見せているだけで、幻のようなものという印象になってしまいます。

しかし、「バーチャル」の本来の意味は、「実体はないけれども、ほとんど存在するのと変わらない」ということ。そこから、現実の代わりにコンピュータやネット上に存在するものを「バーチャル」と表現するようになりました。

アマゾンや楽天モールなどで買い物をすることを、日本では「ネットショッピング」と呼ぶことが多いですが、英語では「virtual shopping」が一般的です。実店舗はなくても、実際に買い物はできるし、商品も届く。それが「virtual」という意味になります。

ARは「現実世界に デジタル情報を融合させる技術」

VRに関連した用語としては、ARがあります。**AR（Augmented Reality：拡張現実）**は、現実世界にコンピュータが生成したデジタル情報を融合させる技術のことです。

「ポケモンGO」をイメージするとわかりやすいでしょう。スマホを通して現実世界を見ると、現実には存在しないモンスターが融合して見えますね。

　こうしたARを応用したスマホアプリはすでにいくつもリリースされています。

　たとえば、自撮りした動画にバーチャルな耳やヒゲを"盛って"くれる「SNOW（スノー）」のようなエンターテインメント系から、実際の部屋にバーチャルな家具を置いてコーディネートをシミュレートできる「IKEA place」のような商用お役立ち系まで、いろいろあります。

MRはARと似た技術だが…

　さらにARに似た技術で、**MR（Mixed Reality：複合現実）** というものもあります。ARが現実世界を主にして、そこにデジタル情報を付加するようなイメージですが、MRでは、現実世界と仮想世界が融合して一つに見えるというイメージです。

　たとえば「GyroEye Holo」というシステムは、CADなどで作成した建築図面を、ホログラム映像にして実際の現場に重ね合わせることができます。

　MR対応のスマートグラスを通して見れば、図面を参照しながら施工するのではなく、図面を立体化して、そのとおりに施工するという直観的な作業が可能になります。

〈メタバースを実現する技術＝XR〉

VR	仮想の現実を体感させる技術 ex.VRヘッドセット 
AR	現実世界（主）にデジタル情報（従）を融合させる技術 ex. ポケモンGO 
MR	現実世界と仮想現実が融合して一つに見える技術 ex.GyroEye Holo 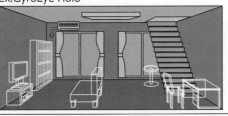

XRは「VR、AR、MRの総称」

しかし、VR、AR、MRなどいくつもあるとわかりにくいし、そもそもこれはARなのかMRなのか判別しにくいという事例もあります。そこで、こうした技術をまとめて**XR（またはxR）**とも呼びます。

エクステンデッド・リアリティ、もしくはクロス・リアリティ（Extended Reality、Cross Reality）の略で、現実世界と仮想現実を融合することで、現実にはないものを知覚できる技術の総称です。

繰り返しになりますが、メタバースに必ずしもVRは必須ではありません。VRヘッドセットを装着しなくてもメタバースを体験することはできます。

だから、現状では「メタバースとVRはイコールではありませんよ」という注釈をつけなければいけないわけですが、メタバースが「体験」の共有をめざしている以上、メタバースとVRは"切っても切れないもの"に将来的にはなっていくでしょう。

インターネットが提供するサービスを十分に使いこなそうとすれば、いまやスマホが必須のデバイス（76ページ参照）であるのと同じことです。

「VRヘッドセット」の
仕組みと技術を知る

あの"ゴーグルのようなもの"の正体

　VRというと必ず出てくるヴィジュアルに、ゴーグルのようなもので両目を覆い、驚嘆したような表情を浮かべるユーザー、というパターン（本書のカバーもそうですね）がありますが、あの「ゴーグルのようなもの」が、**VRヘッドセット**と呼ばれるデバイスです。

　「VRゴーグル」「ヘッドマウントディスプレイ」などとも呼ばれます。

　装着すると、なかには二つのディスプレイがあり、左右の目にそれぞれ角度の異なる映像を見せることで、映像が立体的に見えるという仕組みです。

　後述するように、このVRヘッドセットが、技術の進化により、より高性能に、かつ低価格になってきたことで、誰にでもVRが、さらにはメタバースが手の届くものになった、というのがいま現在の状況です。

「PC接続型」と「スタンドアローン型」がある

VRヘッドセットには大きく分けて、二つのタイプがあります。「**PC接続型**」と「**スタンドアローン型**」です。

PC接続型は、PCに接続して画像処理を行うため、臨場感のある高度なVR体験ができます。ただし、画像処理能力の高いハイスペックのPC、またはゲーム機が必要なため、トータルでの価格は高額にならざるをえません。

一方、スタンドアローン型は、本体にCPU（中央処理装置）、通信機能、センサー機能をすべて内蔵していて、PCに接続することなしに、VR体験が可能です。

スタンドアローン型のスペックはPC接続型に及びませんが、より低価格でVR体験が楽しめます。ワイヤレスで操作できるコントローラーが付属しています。

このほか、スマホを取り付けて使用するタイプもありますが、手軽で安価な反面、本格的なVR体験は望めません。コントローラーが付属していないので、動画視聴に用途が限られます。

すでに違和感のない高解像度を実現

技術の進化の第一は、解像度です。かつては、高価格のものでも網目感が気になるレベルでした。しかし、後述するVRヘッドセット「Meta Quest 2」（150ページ参照）では、4K（2160×3840）弱という解像度で、ほぼ違和感のないメタバース体験ができます。

画像に関していえば、処理速度も重要です。VRヘッドセットが見せるメタバース世界は、コンピュータが描き出す世界ですから、それをユーザー自身やほかのユーザー（アバター）の動きに合わせてリアルタイムに描き出していくには、高度な画像処理能力が要求されます。

前述したように、かつてメタバースをめざした「セカンドライフ」が話題になりながらも十分に普及しなかった主な要因の一つは、この画像処理問題でした。当時の一般的なスペックのPCでは、アバターの滑らかで自然な動きを実現できなかったからです。

現在では、スタンドアローン型のVRヘッドセットでも、問題なく滑らかな動きを実現できます。

アバターを自在に動かすトラッキング技術

　VRヘッドセットの機能は、高精度な3D映像を見せるだけではありません。体の動きを感知して、それに合わせた映像を見せる——たとえば、ユーザーが右を向けば視界も右に、上を向けば視界も上に移動する必要があります。この技術を**トラッキング**といいます。

　トラッキングには、**DoF（Degree of Freedom：自由度）** という概念があります。

　比較的簡易な**3DoF（スリードフ）** と、より本格的な**6DoF（シックスドフ）** があり、「3DoF」は、首を左右に振る、上下に振る、傾ける、という三つの動きを感知して、視界に反映します。VRヘッドセットを装着したまま、左右を向いたり、振り向いたりすることで、360度を見渡すことができ、空間すべてを認知することができます。

「6DoF」は、これに加えて、前後・左右・上下、三つの方向に移動する動きを反映するもので、これによりメタバース内を自由に動き回ることができるようになります。

　VRヘッドセットはさまざまなものが市販されて

〈3DoF と 6DoF を比べたイメージ〉

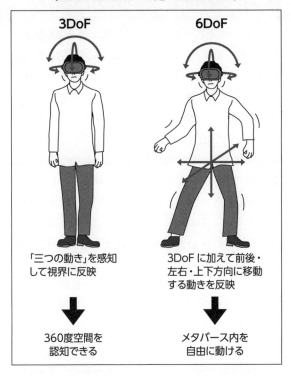

いますが、比較的安価なものは「3DoF」であることが多いので、購入するときにはスペックをチェックしてください。

6 | VR、AR、MR、XR…
新技術がメタバースを進化させる

トラッキング技術でここまで可能に

　メタバースでアバターを操作して（あるいはアバター自身となって）自由に振る舞うには、3D映像を見るだけでなく、自分自身の動きをアバターに連動させる必要があります。

　自分が手を上げればアバターも手を上げ、自分がパンチを繰り出せばアバターもパンチし、自分がダンスすればアバターもダンスする、ということができて初めて、アバターはあなた自身になります。

　一般的なVRヘッドセットは、両手用に1対のコントローラーが付属していて、顔と両手、3点でトラッキングが可能です。Metaが運営するVRサービス「ホライズン・ワークルーム」のように、上半身だけのアバターであればこれで十分ですが、より深い没入感を得ようとすると、もう少し複雑なトラッキングが欲しくなります。

　その場合には頭、両手に加えて、腰と両足にも**トラッカー**（トラッキングのためのデバイス）を装着する6点トラッキング、さらに両ひじと両膝まで加えた10点トラッキングなどがあります。6点以上のトラッキングを**フルトラッキング**と呼び、ダンスのよ

うな複雑な動きも可能になります。

　しかし、VRヘッドセットだけでも重いのに、メタバースに入るたびにトラッカーを装着するのはなかなかたいへんで、フルトラッキングを日常的にしているのは、ある程度のヘビーユーザーに限られるでしょう。

　また、トラッキングには、**インサイドアウト方式**と**アウトサイドイン方式**があります。

　インサイドアウト式は、内側から外を見る方式、つまりVRヘッドセット自体にセンサーを搭載して周囲の状況を認識することで、自分自身の位置を特定する方式です。

　一方、アウトサイドアウト方式は、外側から内側を見る方式。あらかじめ部屋のなかに複数のセンサーを設置しておいて、VRヘッドセットやトラッカーの位置を感知して特定するという方式です。

　前者は、VRヘッドセットがあればどこでも簡単に使える手軽さが魅力です。ただし、VRヘッドセットから見えるところしか感知しないので、死角ができやすいというデメリットも。後者は、仕組みがシンプルなだけに精度も高いですが、少し大がかりになるぶん、装置が高額になります。

VRヘッドセットで
どこまで没入できる?

▌視覚・聴覚だけでなく味覚・触覚まで感じる?!

　VRヘッドセットを装着して認知できるのは、視覚と聴覚だけです。

　とはいえ、3Dの映像を見ることで、目の前に仮想空間が広がっていることが認知できます。VRヘッドセットのマイクとスピーカーを使って、会話をすることもできます。さらに、トラッキング技術によって、あなた自身の動きにシンクロしてアバターが動きます。

　そう聞いて、「たったそれだけで、その世界に"実際にいる"ような感覚になれるの?」と疑問に思う人もいるでしょう。映画『ブレインストーム』では、脳に伝達されるすべての情報を記録することで、「体験」そのものを記録し再現していました。

　視覚と聴覚に加えて、嗅覚、味覚、触覚など、人間のすべての感覚を完全に再現するVR技術はまだ実現していません。しかし、現状のVR体験でも、

視覚や聴覚以外の感覚を感じるという現象を、多くのユーザーが体験しています。

たとえば、アバター同士の接触によって「肌に触れられている感じがする」「頭を撫でられた感じがする」といった体験。あるいは、「メタバースで温泉入浴していたら、体が温かくなってきた」という体験……。

また、メタバースでバンジージャンプのように高いところから飛び降りると、実際に体がふわりと宙に浮くような浮遊感を感じるという体験も、多くのユーザーが報告しています。

VR体験は、想像する以上にリアルに近い

こうした現象は、**VR感覚**、または**ファントムセンス**と呼ばれ、ソーシャルVRのヘビーユーザーにはお馴染みのものです。

ただの思い込みだろうと言ってしまえばそれまでですが、じつは認知科学の分野でも「クロスモーダル現象」として認められている現象です。

クロスモーダルとは、一つの感覚が別の感覚に影響を与え、脳が錯覚すること。たとえば、かき氷のシロップにはさまざまな"色"があり、赤はイチゴ

味、黄色はレモン味と認識されていますが、じつは
すべて同じ味で、着色された色が異なるだけです。

　つまり、視覚が味覚に影響を与え、実際には感じ
ていないイチゴ味を脳が感じているわけです。

　また、こんな実験もあります。ARゴーグルを装
着させた被験者にARで焼きそばの映像を見てもら
いながら、実際にはそうめんを食べてもらったとこ
ろ、被験者は焼きそばの味を感じるということがわ
かりました。被験者は、それが実際はそうめんであ
ることを知っているにもかかわらず、です。

　メタバースでのファントムセンスも、こうしたク
ロスモーダル現象として説明できるとされていま
す。ファントムセンスによって、VR体験は、じつ
は想像する以上にリアルに近いものになっていると
いえそうです。

焼きそば
の味…！

触覚を補強する 「ハプティクス」という技術

iPhoneのアイコンにも使われている

現在、多くのユーザーがVRヘッドセットを装着し、「ファントムセンス」で感覚を補強しながらメタバース体験を楽しんでいるわけですが、今後はさらに、触覚を感じることができるデバイスが加わるかもしれません。

いま注目を集めている**ハプティクス**は、<u>デバイスを微妙に振動させたり動きを与えたりすることで、実際に何かに触れたり操作したりしている感覚をフィードバックする技術</u>です。

たとえば、iPhoneのアイコンは、軽くタッチしてアプリを起動することもできますが、強く押すことでアプリを削除することもできます。

このとき、カチッという振動が指に伝わることで、ユーザーはボタンを押し込んでいるような感覚を感じるようになっています。これがハプティクス技術です。

また、プレイステーション5のコントローラー
は、ゲームのシーンに合わせて振動することでより
臨場感のあるゲーム体験を楽しむことができます
が、これもハプティクス技術です。

「触覚スーツ」でさまざまな刺激を体感

メタバースにこのハプティクス技術を持ち込むた
めに開発されたのが、「**触覚スーツ**」と呼ばれるデバ
イスです。

全身を覆うようなボディスーツのなかに振動モ
ーター、筋電気刺激（EMS）、経皮的電気神経刺激
（TENS）などが内蔵されていて、ほかのアバターに
触れられた感触や銃を撃ったときの衝撃、爆風を受
けたときのショックなどを体感できるようになって
います。

現在、韓国のビーハプティクス社の「**タクトスー
ツ**」とイギリスのブイアールエレクトロニクス社の
「**テスラスーツ**」の2ブランドが市販されています。
前者がVRゲーム用を想定しているのに対し、後者
は主にVRシミュレーションによる教育トレーニン
グでの用途を想定しているようです。

デバイスの普及が
メタバース普及のカギ

VRヘッドセット普及のカギは、やはり「価格」

　今後のVR、メタバースの普及・浸透については
VRヘッドセットや触覚スーツなどのデバイスの普
及がカギを握っていることは間違いないでしょう。

　そのためにネックとなるのが「価格」です。

　一般向けVRヘッドセットが登場しはじめた
2010年頃は、日本円で10万円前後と高額だった
ため、誰もが気軽に手にできるものではありません
でした。

　しかし2016年、状況が急変します。**Oculus VR
(オキュラス・ブイアール)** 社から「**Oculus Rift**」、
台湾のHTC社から「**HTC VIVE**」と普及版VRヘッ
ドセットが次々と発売され、のちに「VR元年」と
いわれました。これに応えるかのように、翌2017
年から「VR Chat」「クラスター」「Neos VR」「バ
ーチャルキャスト」などのソーシャルVRが続々と
サービスを開始します。

　さらに2020年、Oculus VR社から発売されたスタンドアローン型の「**Oculus Quest 2**」は約3万7000円という低価格で市場に投入されました。2018年にOculus VR社を傘下に入れたMetaがVRヘッドセットを普及させる目的で、採算を度外視した低価格戦略に出たためです。

　その後、「Oculus Quest 2」は「**Meta Quest 2**」と名称を変え、世界累計出荷台数1000万台を上回るヒット商品となりました。ただし、2022年8月、「製造・出荷コストの上昇」を理由にMeta社が突然の大幅値上げに踏み切ったことで、価格は約5万7000円〜となっています。

　これにより、メタバースの普及が減速するのではないかと懸念されています。

▍「価格」以外に普及のカギとなる意外な要素とは

　じつはVRヘッドセットには、価格以外にもいくつか課題があります。

　一つは、**VR酔い**と呼ばれる現象です。VRヘッドセットが見せる映像はあくまで仮想の映像ですから、現実をリアルに見ている場合とは感覚が異なります。前述したトラッキングも含めて、コンピュー

タが映像を処理するためにわずかながら時間を要するからです。そのため、実際の感覚と微妙なタイムラグが生じるのです。

このタイムラグが、脳に混乱を生じさせ、長時間使用していると車酔いのような症状を引き起こすことがあります。

また、重さも重要です。以前よりはずっと軽くなったとはいえ、VRヘッドセットはそれなりの重さがあります。

もっとも普及している「Meta Quest 2」で約500g。これを頭部に装着したまま長時間動き続けるのは、かなりの負担になります。とくにVRソーシャルのヘビーユーザーは、1日5～6時間は当たり前で、4章で前述したとおり、寝ている間もVRヘッドセットを装着しているユーザーもいますが、一般のユーザーが長時間の使用に耐えられるかは疑問です。

VRヘッドセットがもう少し軽いものにならないと、身体的な負担なく"メタバースに住み続ける"ことは難しいでしょう。

なお触覚スーツについては、現在、その価格の高さゆえに十分に普及しているとはいえない状況です。

「BMI」で 脳とコンピュータをつなぐ?!

　前述した触覚スーツのさらに先にあるテクノロジーが「**BMI（ブレイン・マシン・インターフェイス）**」です。文字どおり、脳とマシン（コンピュータ）を直接つなごうという技術です。

　たとえば、握手をすると、手のひらは相手の手の圧力や熱を感知します。するとその情報は、電気的信号となって神経細胞を経由し、脳に伝達されます。脳はその情報を処理して「手が何か温かいものを握っている」と感じるわけです。

　この電気的信号を傍受すれば、触覚スーツのように振動などを使わなくても「誰かと握手している」という感覚を得られることになります。

　3章でも少し触れましたが、アメリカの起業家イーロン・マスク氏が開発している「**ニューラリンク**」（57ページ参照）がまさにこれに当たります。

　ただし、「ニューラリンク」が想定しているのは、入力ではなく、出力だけのようです。つまり、脳に手術によって電極を直接埋め込み、脳細胞の電気信

号を直接マシンに出力するということです。猿による実験では「考えただけで、テレビゲームを操作する」ことに成功しています。

　脳波を直接読み取り、記録し再生するというアイデアは、すでに映画『ブレインストーム』で提示されていたと前述しましたが、現状「ニューラリンク」では、そこまでは想定していないようです。

　ただし、このBMIの技術が実用レベルにまで進化すれば、視覚や聴覚だけでなく、味覚、嗅覚、触覚までも「現実に起こったこと」と変わらない臨場感で体験できるメタバースが出現するかもしれません。

ニューラリンク社のBMIを脳に埋め込むための
手術ロボットとイーロン・マスク氏。

自己表現としてのアバター

アバターの要素は「容姿」「動作」「声」

　VRで創り出す仮想空間とともに、メタバースの重要な要素であるアバターについても言及しておきましょう。

　アバターは、単にゲームを進行させるコマのようなものではなく、メタバースに入り込めば入り込むほど、仮想空間におけるユーザーの分身という側面を強く持つようになります。メタバースでは、アバターはあなた自身として周囲から認識されます。

　そんなアバターの要素をあえて分解すると「容姿」「動作」「声」ということになるでしょう。

　まず、どのような容姿のアバターを設定するかを、ゲームやソーシャルVRに最初にエントリーするときに決定します。一般的には、プラットフォーム側が用意したパーツを選択していくことで、プログラミングの知識がなくても簡単にアバターを作れるようになっています。

アバターの容姿をどうするのか。これについては二つの考え方があり、一つは、実際の容姿に近いものにするという考え方。もう一つは、実際の容姿とは関係なく自由に設定するという考え方です。

「ホライズン・ワークルーム」のように、現実の自分の"代理"としてバーチャル会議やプレゼンに参加するなど、現実の拡張としてメタバースを捉える場合は、前者が多いようです。

一方、メタバースは現実とはまったく別の世界でまったく別の自分として生きることができるのだと考えれば、後者のように自由なアバターを設定することになるでしょう。

容姿は自由に設定できるけど…

メタバースの魅力の一つはなりたかった自分になれることが挙げられますが、これについてはソーシャルVRの項（83ページなど参照）で言及しました。

「動作」は頭と両手の動きだけだが…

動作については、前項で述べたように、トラッキング技術によってユーザーの動きを再現します。

一般的な3点トラッキングでは、頭の動きと身振り手振り（さらに声を発したときにはシンクロするように口が動く仕様になっている場合もあります）ですが、これでどれだけリアルなコミュニケーションが可能なのか？　と懐疑的な見方をする人もいるかもしれません。

ですが、たとえば落語を想像してみてください。表情の豊かさもありますが、頭と両手だけの動作だけでも、十分なコミュケーションが可能だとわかるでしょう。ちなみに、表情を操作できるアバターもあります。

また、アバターを外部で作成して持ち込む場合は、トラッキングとは別に、動物キャラの尻尾のようなトラッキングできない動きや、ダンスのような複雑な動きをさせることも可能です。

「声」の変え方は三つある

　メタバースでは、VRヘッドセットのマイクとスピーカーを通して音声でのコミュニケーション、つまり会話をします。

「ホライズン・ワークルーム」のようなビジネス系のメタバースでは、地声で喋るほうが自然ですが、ソーシャルVRなどで現実とは異なる容姿のアバターを設定している場合、とくに、男性が女性のアバターに変身している場合などは地声だと不自然に聞こえてしまうので、声を変えることがあります。

　声の変え方は三つあり、❶ボイスチェンジャーを使う、❷音声読み上げソフトを使う、❸特殊な発声技術で普段とは違った声を出す、という方法があります。とくに、❸のボイストレーニングによって男女の声を自在に使い分けることができるスキルの持ち主は「両声類」と呼ばれています。

　どれもそれなりに負担がかかるので、7割以上の人が地声で会話をしているというデータもありますが、地声を使いたくなければ、テキストチャットを使うか、身振り手振りでコミュニケーションする、つまり無言で通す、という方法もあります。

アバターの統一規格「VRM」

アバターには「自由がない」?

前述したように、メタバースでは誰もが現実とは別の自分として生きられますが、これは大きな魅力となっています。

メタバースではなりたかった自分になれるので、現実はどうであれ、イケメンや美少女になるのも自由ですし、猫やロボットになるのも自由です。また、男性が女性になったり、その逆も可能です。

しかし、現状では多くの場合、アバターの設定にも制限があります。前述したように、一般的にはプラットフォームごとに設定するので、パーツの選択で自由度はあるものの、基本的にはプラットフォームの世界観の範囲内での設定になるからです。

プラットフォームがその世界観を大事にするほど、ユーザーのアバターの自由度は制限されます。つまり、世界観にマッチしないアバターは最初から設定できないようになっているのです。

　自由度の問題でもう一つ重要なことは、この方式だと、<u>プラットフォームごとにアバターを設定しなければいけない</u>ということです。

　アバターが自分の分身だとすれば、ネットのなかではいつも同じアバターでいたいと思う人も多いでしょう。あるソーシャルVRで人間関係を築いたら、それは社会的資産なので、別の環境に行っても継続したいと思うのは当然です。

　アバターを一つの人格として捉えると、別のプラットフォームでは別のアバターを設定しなければならないとなれば、アイデンティティを維持できないということにもなります。

　そこで、アバターの統一規格というものが生まれました。それが、**VRM（VR向け3Dアバターファイルフォーマット）**です。

どのプラットフォームでも同一のアバターを!

　VRMは、2018年に株式会社ドワンゴが公開したもので、特定のプラットフォームに依存しないファイル形式になっています。どんなプラットフォームでも、同じアバターを使用できるということを意味しています。

　したがって、VRMアバターであれば、プラットフォームごとに容姿を変えずに、同じ人格としてネットのなかを行き来することが可能になります。

　VRMアバターは、「**VRoid Studio（ブイロイドスタジオ）**」などのVRMに対応したアバター制作ツールで自作することもできるし、アバター販売サイトから購入することもできます。

　VRMの普及、つまりアバターの統一規格が浸透すれば、オープンメタバース化を促進することになるでしょう。ユーザーは、いつでも同じアバターでネット上を自由に移動することができ、そうなればマシュー・ボール氏がメタバースの定義の一つとして挙げた「6.相互運用できること」の実現に一歩近づくことになるはずです。

もっとも
注力している企業は?
メタバースの活用例

ナイキの
「NIKELAND in ロブロックス」

　2021年11月、ナイキは「ロブロックス」（90ページ参照）内に「**NIKELAND**」をオープンしました。

　その構成はアメリカ・オレゴン州にあるナイキの本社をモデルにしていて、敷地内にはバスケットボールコート、フットボールフィールド、陸上競技場、テニスコートなどが再現されています。ユーザーは、ほかのユーザーとともに鬼ごっこ、ドッジボール、「ザ・フロア・イズ・ラバ（床は溶岩）」（ロブロックス内の人気ゲーム）などのミニゲームを楽しむことができます。

　また、ナイキ商品のショールームもあり、人気スニーカー「エアフォース1」「ブレーザー」などを購入してアバターがそれを着用することもできます。また、これらを着用することで、アバターの身体能力がアップするという特典も用意されています。

　2022年2月には、NBAのスーパースター、レブロン・ジェームズを招いたイベントを開催。ファンとバスケットボールについて語り合ったり、ミニ

ゲームに参加してファンとハイタッチを交わしたり
と、交流を楽しんだということです。

　ナイキは、2021年12月に、バーチャルアパレル
ブランドの**RTFKT（アーティファクト）**を買収した
ことでも話題を集めました。

　アーティファクトは、ファッションやスニーカー
分野のNFTを扱うブランドで、デジタルアーティ
ストのFEWOCiOUS（フュウオシャス）と制作した
バーチャルスニーカーは、約3億2000万円と超高
額にもかかわらず発売後7分で完売するなど、NFT
ファッションを代表するブランドです。

　2022年5月には、ナイキとアーティファクトが
コラボした初のNFTスニーカー「**Cryptokicks（ク
リプトキックス）**」が発表されました。

　ナイキはいま、メタバースにもっとも注力するブ
ランドの一つとして注目を集めています。

角度によってさまざま
に変色し、発色する
「クリプトキックス」

有名ブランドが続々参加！
メタバースファッションウィーク

　ナイキに限らず、ファッション業界ではすでに多くの企業がメタバースに注目しています。

　2020年には、ジバンシイが「あつまれ どうぶつの森」でキャラクターが着用できる「マイデザイン」にアイテムを提供。2021年にはバレンシアガが「フォートナイト」内でコレクションを発表しました。同じく2021年に「ロブロックス」と提携を始めたグッチが、2022年に「ザ・サンドボックス」内に土地を購入しています。

　なかでも、ファッション界とメタバースのつながりを示す最大のイベントが、2022年3月、「ディセントラランド」内で開催された**メタバースファッションウィーク**です。

　ドルチェ＆ガバーナ、トミー・フィルフィガー、エトロ、フランクミュラーなど、60以上の世界的ブランドが参加し、ヴォーグやWWDなどのファッション系のメディアも注目しました。

　日本からは唯一、アンリアレイジが参加。アニメ

『竜とそばかすの姫』（25ページ参照）の主人公すず
のアバター「Belle」の衣装をデザインしたことで、
注目を浴びたブランドです。

「メタバースファッションウィーク」では、リアル
なファッションウィークと同じように各ブランドの
ショーが行われ、アバターがランウェイを闊歩。ア
フターパーティも、本物さながらに行われます。

　各ブランドのショップでは、コレクションがアバ
ターごと展示されて、クリックすると公式サイトに
飛んでリアルな商品を購入できるブランドもありま
す。なお参加者数は、5日間で10万8000人と発表
されています。

スタンフォード大学の「Virtual People」

　近年のコロナ禍で、実施する学校が増えてきたオ
ンライン授業ですが、アメリカのスタンフォード大
学ではバーチャル環境で行う「**Virtual People**」と
呼ばれる講義を実施しています。

　オンライン授業と異なるのは、受講者が全員VR

ヘッドセットを装着してメタバース空間に集合し、講義を受ける点です。

　講義のテーマは、VRがエンターテインメント以外でこれまでどのように社会に浸透し、進化してきたか。つまり、VRを学ぶには実際にVRを体験しながら、というわけです。この「Virtual People」という授業は2003年から開設されていますが、すべての講義をVRで行えるようになったのは、VR技術が進歩した最近のことだといいます。

　それまで、数か月にわたって百人単位の学生がネットワークに参加した例はなく、まったく新しい取り組みとして期待される一方、学生たちは年間数百時間をメタバースで過ごすことになり、目や脳に与える負担を懸念する声もあります。

　今後、教育分野でメタバースの活用が浸透するかどうか、その動向に注目が集まっています。

エリクソンの「5Gネットワークシミュレーション」

エリクソンはスウェーデンの通信機器メーカーで

すが、携帯電話の地上固定設備を世界的に展開しています。

5Gに対応したスマートフォンは年々普及しつつありますが、問題は5G通信を可能にする基地局の設置です。どこに基地局を設置すれば、空白のないネットワークを効率的に作れるのか？　地図上のシミュレーションで正確に知ることは不可能です。

実際に周囲に建っている建物の高さや構造、あるいは街路樹の位置まで、さまざまな要素を考慮しなければならないからです。

エリクソンはこの問題を解決するために、メタバースを活用しました。

具体的には、半導体メーカー NVIDIA が一般提供しているサブスクリプションサービス「Omniverse Enterprise」を使って、シカゴ市内の一部を再現。このメタバース内で、5Gの電波が伝搬する状態をシミュレーションすることによって、基地局の性能とカバー範囲を最大化させることに成功しています。

この「Omniverse Enterprise」は、異なる制作ツールを使うユーザーが、メタバース内で共同で3DCGの制作ができるという特徴があり、ドイツのBMW社が最新鋭工場の建設に利用したり、アメリ

カのロッキード・マーティン社が山火事のシミュレーションに活用したりするなど、すでに700社以上が利用しているとされます。

　次に、日本企業の取り組みを見てみましょう。

JR東日本の「メタバース・ステーション」

　JR東日本では2022年3月、メタバース・ステーションの第1号として「**Virtual Akiba World（愛称「VAW」）**」をオープンしています。
　JR東日本のめざす「メタバース・ステーション」とは、駅構内やその周辺施設をリアルに再現したミラーワールド（53ページ参照）で、PCやスマホからアプリのダウンロードなしにアクセスできます。
　第1弾としてオープンしたVAWは、山手線31番目の駅「**シン・秋葉原駅**」と名付けられ、『**シン・ゴジラ**』『**シン・ウルトラマン**』などとコラボ。構内いたるところにオリジナルデザインのポスターを掲示しています。

〈メタバース・ステーションのイメージ〉

　また、入場者同士でコミュニケーションができる「オフ会ルーム」を用意していて、自由に使用できるようになっています。

　このメタバース・ステーションは、将来的にはリアルな施設と連動したサービスを提供することを想定していて、たとえば、メタバースでショッピングをして、実際の駅で品物を受け取ったり、事前にメタバースにログインして注文したドリンクを駅構内で受け取ったり、といったサービスを提供する予定

ということです。

　リアルな駅と同様、メタバース内の駅構内も、広告やイベントのスペースとして活用できるため、さまざまな企業との連携が可能。すでに、ビームス、NTTドコモなどとの連携が実現しています。

三越伊勢丹の「REV WORLDS」

　小売業界でのメタバース活用は海外では積極的に進められていますが、日本では三越伊勢丹の**「REV WORLDS（レヴ・ワールズ）」**が先進的な取り組みとして、注目されています。

「REV WORLDS」はスマホアプリとして提供され、伊勢丹新宿本店を中心とした新宿東口エリアの一部がメタバースとして再現されています。ユーザーはこのなかを自由に散歩して見学できるだけでなく、バーチャルな三越伊勢丹で実際の商品を購入することができます。

　ただし「REV WORLDS」に決済機能はないため、購入の際は以前からあったECサイトに誘導さ

れる仕組みです。

三越伊勢丹では、メタバースでのショッピング体験を「ECとは真逆」と位置付けていて、実際に販売員のアバターが接客対応し、商品の説明やアドバイスをしてくれる、というリアルなショッピングと変わらないサービスをめざしています。

接客スキルという百貨店ならではの長所を、ネット上でも生かすための方策として、メタバースを活用しているといえるでしょう。

さらには「バーチャル・ファッションショーの開催」「バーチャル地下格闘技場を設けて、人気漫画のキャラクターのアバターと会えるイベントの開催」など、メタバースならではの集客企画を展開しています。また「REV WORLDS上に自分の部屋を持つ機能」「アバターを着せ替えできる機能」などを追加することで、コンテンツの充実をはかっています。

テレビ東京の「池袋ミラーワールド」

トレンドに敏感なテレビ業界も、メタバースの活

用に積極的です。

　テレビ東京は、2021年3月、「**池袋ミラーワール
ド**」をオープンしました。ネット上に再現した池袋
西口の街並みを散策したり、バーチャル劇場やバー
チャル商店に立ち寄ったりしながら、池袋の魅力を
再発見できます。

　このプロジェクトのユニークなところは、地域活
性化と連動しているところ。池袋駅を擁する豊島区
が後援し、多くの大企業や地元の企業が「街を面白
くする」ために結集しています。

　テレビ局では、ほかにもフジテレビが、バーチャ
ル空間イベントと銘打って「**バーチャル冒険アイラ
ンド2022**」を開催。お笑い芸人のネタ動画をNFT
化して販売するなど、話題性を狙った企画を立ち上
げています。

国土交通省の「PLATEAU」

　日本の行政の先進的な取り組みの一つとして
「PLATEAU（プラトー）」を挙げておきましょう。

「PLATEAU」は、国土交通省が2021年にスタートしたプロジェクトで、日本全国の都市を3Dで再現するデジタルツイン（52ページ参照）を構築。その上に、ジャンルを超えたあらゆる情報を紐付けようという計画です。

これまで別々に管理されていたデータが組織を横断して統合されるだけでなく、デジタルツイン上に可視化することが可能になります。これにより「社会にあふれるさまざまな課題を解決し、都市のポテンシャルを最大限に引き出す」ことをめざします。

「PLATEAU」のデータは、広く活用できるよう民間にも無償で提供されます。その活用については、都市計画・まちづくり、防災、都市サービス創出などさまざまな用途が想定されています。

国土交通省が公開した、2022年度に実施した活用事例2件を見てみましょう。

一つは、河川氾濫時のハザードマップの可視化。従来のハザードマップは、2次元のマップ上に水没の危険のあるエリアを表示するものでしたが、これでは実際の被害の状況を直感的に把握できません。「PLATEAU」で水没時の都市の様子を可視化すれ

ば、どの建物が水没するか、どの建物が垂直避難可能かがひと目でわかります。

　もう一つの例は、都市活動のモニタリングです。コロナ禍で、人と人との距離を保つソーシャルディスタンスの確保が重要な課題となっていますが、「PLATEAU」では、ソーシャルディスタンスの確保状況の可視化と統計データを蓄積する技術の検証を行いました。

　得られたデータは、今後の感染防止対策への活用が見込まれています。

　この「PLATEAU」のデータを民間企業が積極的に活用すれば、建築、流通、工業、農業などさまざまな分野で、新たな開発が加速することでしょう。

「ウェブ2.0」の覇者は
「ウェブ3」時代を
どう生き抜くか

そもそも「ウェブ3」とは何か

「ウェブ1.0」は一方通行の時代

これまで見てきたように、メタバースは「ただ単に目新しい新技術というものではない」ということは明らかです。フェイスブックからMetaと社名を変えたマーク・ザッカーバーグCEOは、メタバースの本質は何か？　と問われて、「インターネットの次の章」だと答えています。

しかし「次の章」とは、どのような意味でしょうか？　ここでは改めて、インターネットの歴史を簡単に振り返りながら、**ウェブ3**（Web3.0）というキーワードに注目してみましょう。

インターネットが登場した頃、世界中が通信ネットワークでつながることは画期的な出来事でした。国境を越えて世界中の情報にアクセスできる、しかもどこかの企業や政府が運営するものではない、非中央集権的なネットワークです。

企業は、ネット上に次々とホームページを立ち上

げました。実際の閲覧者（えつらん）がどのくらいいるかはともかく、ホームページさえ開設しておけば、世界中からアクセスできる状況だけは整えられるわけです。

　企業の発信する情報に限らず、さまざまな情報はすべてネット上のどこかにあり、検索すればたいていのことは知ることができる。ただし、情報の流れは一方通行。それが「ウェブ1.0」で、1990年から2000年代前半までがそれに当たります。

┃「ウェブ2.0」は双方向の時代

　2005年頃から、状況はじょじょに変化しはじめます。ADSLや光回線などの高速回線の普及で、インターネットへの接続がずっと身近になりました。

　2007年に「iPhone G3」が発売され、スマホが急速に普及しはじめると、フェイスブックやツイッターなどのSNSが広がり、誰もがウェブ上で手軽に情報発信できるようになります。世界中の人々が発信し、世界中の人たちが見て「いいね！」します。

　インターネットはただ、情報を知るためだけの一方通行のメディアではなく、双方向のメディアへと変わっていきました。これが「ウェブ2.0」で、現代まで続いています。

　ウェブ2.0では、一方通行から双方向になってコミュニケーションはより自由になりました。インターネットが登場した当初の理想を実現したようにも見えました。

　ところが実際は、一部の企業に情報が集中するという事態に陥ることになります。一部の企業とは、**テックジャイアント**と呼ばれるGAFAM（16ページ参照）です。

　彼らは集積したビッグデータを解析（かいせき）することで、市場を支配するようになりました。そうなると、セキュリティ、プライバシー保護などの面でいろいろと不都合が出てきます。

　そこで、新たに提唱されたのが「ウェブ3」でした。言い出したのは、**イーサリアム**（ビットコインと並ぶ主要な暗号資産）の共同創設者であるギャビン・ウッド氏です。

｜「ウェブ3」では分散型のネット社会に？

　ウェブ1.0が一方通行型、ウェブ2.0が双方向型と呼ばれるのに対し、ウェブ3は分散型と呼ばれます。ウェブ2.0では、自由な双方向コミュニケーションをめざしたものの、結局は巨大なプラットフォ

ームに依存することになりました。

　誰もがSNSやネットショッピングを自由に楽しみながら、しかしそれを保証しているのは、フェイスブックやアマゾンなど巨大プラットフォームです。

　巨大プラットフォームによる中央集権的な管理のもとで、安心してSNSやショッピングができる。その代償として、個人データを吸い上げられ、ビッグデータとして活用されることを許容しているというのが、ウェブ2.0の構図です。

　これに対して、分散型のウェブ3は何が違うのでしょう?　それは、情報が必ずしも特定のプラットフォームを経由しないということ。そこで注目されるのがメタバースです。

メタバースが
ウェブ3時代のプラットフォームになる?!

　メタバースはこれまで見てきたように、仮想の空間で、ユーザーがそのなかで、さまざまな交流をしたり、イベントを開催して人を集めたり、モノを売買したり、という活動を自主的に広げていくというものでした。

　メタバースがめざす方向は、ウェブ3がめざす方向と同じなのです。ウェブ3では、それまでのSNS

に代わって、メタバースが主要なプラットフォームになるだろうといわれています。このウェブ3を実現するベースとなる技術がブロックチェーンです。

ブロックチェーンは4章で言及したように、仕組みそのものが非中央集権的です。誰か（国家や大企業など）がその価値を保証するのではなく、ネットワークに参加するすべての人が監視することで、その価値を保証するからです。

前述したように「ディセントラランド」や「ザ・サンドボックス」など、ブロックチェーンをベースに構築されているメタバースもすでにあります。

ウェブ3は、まだ始まったばかりです。一部のテックジャイアントの寡占化によって行き詰まったウェブ2.0の反省から、「これからはウェブ3だ」と注目されはじめたというところです。

一方で1990年代から概念としてあったメタバースは、デバイスや通信の進歩とともに、ようやく一般ユーザーにも普及しようとしています。これらの動きが互いにシンクロしながら、インターネットはどうやら大きな転換期を迎えているらしい、でもまだどうなるのか予測はできない（あるいはさまざまな期待と予測が交錯している）というのが現状でしょう。

〈ウェブ1.0からウェブ3まで〉

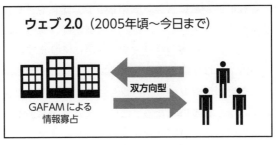

ウェブ1.0 (1990年〜2000年代前半)

一方通行型

ウェブ2.0 (2005年頃〜今日まで)

双方向型

GAFAMによる
情報寡占

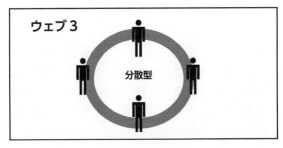

ウェブ3

分散型

8 | 「ウェブ2.0」の覇者は
「ウェブ3」時代をどう生き抜くか

「ウェブ2.0」の覇者たちがめざすもの

次の勝者は「GAFAのどれでもない」?

それでは、ウェブ2.0の覇者であるテックジャイアントは今後どうなるのでしょうか。

これにもいろいろな予測があって、元『ワイアード』のケビン・ケリー氏は、次の勝者は「GAFAのどれでもない」と明言します。

一方で、ウェブ3の事業開発には多額の資金が必要なので、テックジャイアントはその資金力にモノを言わせて乗り切るだろうという見方もあります。事実、彼らは、有望な関連企業を次々と買収して傘下に収めています。ここからは、

・ウェブ3時代の覇者は誰なのか?

・テックジャイアントがウェブ3の時代を見据えて、いまどんな戦略を立てているのか?

・次代の覇者となりうる新しいプレイヤーはいるのか?

について、簡単に紹介しておきましょう。

Meta(旧フェイスブック)のねらいはどこにあるか

フェイスブックからMeta Platformsへ社名変更したマーク・ザッカーバーグCEOは、言うまでもなく、メタバースブームの火付け役の1人です。しかし、メタバースへの本格参入は最近になって下した決定ではないでしょう。それは、2014年、Oculus VR社を買収した（150ページ参照）ときからすでに決まっていたと言えます。

Oculus VR社は、2012年創業のベンチャー企業で、当時から高性能でコストパフォーマンスの高いVRヘッドセットの開発で知られていました。

クラウドファンディングで240万ドルの資金を調達して「Oculus Rift」を開発しますが、ザッカーバーグ氏は、20億ドルを提示して会社ごと買い取ります。この時点で、将来のビジネスフィールドとして、VRまたはメタバースが有望であるというビジョンを描いていたことは間違いないでしょう。

その後、Oculus社は目立った業績を上げることなく低迷しますが、ザッカーバーグ氏は手放さず、我慢し続けます。

そして2016年、PC接続型VRヘッドセットで

ある「Oculus Rift」の一般販売にこぎつける
と、2019年にはスタンドアローン型「Oculus
Quest」、翌年には「Oculus Quest 2」（のちに
「Meta Quest 2」に名称変更）発売します。

　前述したとおり、この「Oculus Quest 2」は、
約3万7000円という低価格で発売したことで、ヒ
ット商品となりました。

　ただし、これはデバイスを普及させるための赤字
覚悟の低価格戦略で、2022年8月には大幅値上げ
を余儀なくされています。

　Metaが社名を変更してまでメタバースに注力す
る背景には、フェイスブックの低迷があるといわれ
ています。「若者のフェイスブック離れ」は、すで
にさまざまなメディアが指摘するほど世界的な傾向
で、とくに10〜20代前半のユーザーが激減してい
るといいます。

　そもそもフェイスブックは、GAFAMのほかの企
業のように盤石なプラットフォームを持っていませ
ん。言ってみれば、アプリを供給しているにすぎま
せん。もしも、SNSの次にメタバースが主要なプラ
ットフォームとなる時代が来るなら、そこはどうし

<u>ても取りに行きたい</u>という切迫した事情があるわけ
です。

　とはいえ、フェイスブック、インスタグラムなど
の運営を通して積み上げてきたSNSに関する知見
はMeta社のアドバンテージになります。メタバー
スに軸足を移しても、戦略の中心はソーシャルプラ
ットフォームであることは変わらないでしょう。

　メタバースアプリ「**ホライズン・ワールド**」、すで
に何度か言及した企業向けの「**ホライズン・ワーク
ルーム**」を提供しながら、かつてSNSでフェイスブ
ックが獲得したようなポジションを、ウェブ3でも
構築しようと狙っているはずです。

マイクロソフトは「Teams」からメタバースへ

　マイクロソフトもまた、早くからメタバースに興
味を示してきたことは、2014年にあの「マインク
ラフト」を開発したMojang Studios社を傘下に収
めたことからもうかがえます。

　Office365など企業向けのアプリケーションで圧
倒的なシェアを誇るマイクロソフトとしては「メタ
バースもその延長で」という戦略は、当然のことで
しょう。

　コロナ禍で多くの企業が「Teams」でウェブ会議を行ったことと思いますが、2022年、この拡張機能として、「**Mesh for Microsoft Teams**」をリリースしています（117ページ参照）。

　マイクロソフトもまたMeta同様、現実世界でのアドバンテージを生かすべく、得意分野であるビジネスシーンでのメタバース活用を積極的に展開していくことになるでしょう。

　マイクロソフトのもう一つのターゲットは、産業分野のメタバースである、**インダストリアルメタバース**です。

　マイクロソフトはすでに「**HoloLens（ホロレンズ）**」というデバイスを開発。これはVRヘッドセットとは異なり、スマートグラス（53ページ参照）と呼ばれるもので、レンズ部分に透明なディスプレイが重ねられていて、目の前の現実とディスプレイの画像が同時に見えるというものです。

　「ポケモンGO」のようなAR（拡張現実）にも見えますが、マイクロソフトはこれをMR（複合現実。134ページ参照）と呼んでいます。

　ちなみに、スマートグラスというと、装着感がメ

ガネとほぼ変わらない、日常的にずっと着けていられるようなものを想像しますが、このホロレンズはそれよりはかなりいかつい筐体（箱形の容器）です。日常的に装着するには無理がありますが、産業現場で使用するには大丈夫、という仕様になっています。

このホロレンズを使用することで、複雑な作業を現場でガイドを参照しながら素早く習得できる、どこからでも即座に共同作業ができるなど、さまざまなメリットがあります。製造業、エンジニアリングと建設、医療、教育などの現場での活用が見込まれています。

ホロレンズは現在「**ホロレンズ2**」となっていますが、2022年に「**ホロレンズ3**」開発中止のニュースが流れ、マイクロソフトのメタバース戦略に変更があったのかと業界を騒然とさせました。開発者側はそれを否定していますが、今後の動向に注目が集まっています。

一方、2022年1月に、マイクロソフトはゲーム開発大手であるアクティビジョン・ブリザード社の買収を発表しました。この会社は、「**ディアブロ**」「**オーバーウォッチ**」など人気タイトルを有しています。

　この買収によりマイクロソフトは、中国のテンセント、ソニーに次ぐ、世界3位のゲーム企業になると見込まれています。

　同社は「（この買収は）将来のメタバースの構成要素を提供することになる」「（ゲームは）メタバースプラットフォームの発展においても重要な役割を果たすことになる」とも言っていて、買収はメタバース戦略の一環でもあることも強調しています。

グーグルが狙うAR市場

　グーグルは、テックジャイアントの一角を占めていますが、ウェブ2.0の覇者というよりも、ウェブ1.0の勝者といえます。ウェブ2.0の主なプラットフォームとされたSNSについては、あまり得意ではありません。

　グーグルは、企業としてのメタバース戦略を明確に表明していませんが、Metaの「ホライズン・ワークルーム」や、マイクロソフトの「Mesh for Microsoft Teams」のようにメタバースでのコミュニケーションを意識したものではなく、ホロレンズのようなAR（133ページ参照）を志向した戦略を考えているようです。

　グーグルは、すでに2012年に「**プロジェクト・グラス**」という研究開発プロジェクトをスタートさせ、ARデバイスとして「**グーグル・グラス**」の開発を進めています。「グーグル・グラス」は、ホロレンズなどとは違って日常的に装着することを想定していて、ほとんど一般的なメガネと変わらないデザイン、軽さを実現しています。

　2020年には、優れたスマートグラス開発技術を持つカナダのNorth社を買収し傘下に収めました。North社の開発した「フォーカル」というスマートグラスは、ほとんど普通のメガネと変わらない外見に、高度な機能を搭載していて、高く評価されています。

　こうした技術が、今後は「グーグル・グラス」に投入されることになるでしょう。

｜アップルは、いつARデバイスを発売するのか

　テックジャイアントのなかでも、アップルの動向は常に大きなニュースになります。

　2022年1月、**ティム・クック**CEOはメタバースについて「われわれはこの分野に大きな可能性を感じており、それに応じた投資をしている」と発言し

ました。第1四半期決算についての、アナリスト向けビデオ会議でのことです。

この発言は、メタバースについて何も具体的な内容を語ってはいないにもかかわらず、メディアの注目と扱いは大きいものでした。それだけ、<u>アップルの動向、あるいは「メタバースという分野の将来性」について、世の中の関心は大きい</u>といえるでしょう。

スマートフォン、タブレット、スマートウォッチのカテゴリーで常に確固たるブランド力を築いてきたアップルが、次はスマートグラスを発売するという臆測（おくそく）が何度となく流れましたが、いまだに実現していません。

最新の予測では、2023年第2四半期（4〜6月）に発表するだろうと見られていましたが、開発は遅れていて、2024年後半になるだろうともいわれています。

こうした予測は「アップルはすでに、ARについて多くの技術資産を蓄（たくわ）えている」という事実に基づいています。iPhoneアプリにはARを用いたものが1万以上もあり、これはアップルが「**ARKit（エーアールキット）**」という開発フレームワークを提供しているためでもあります。

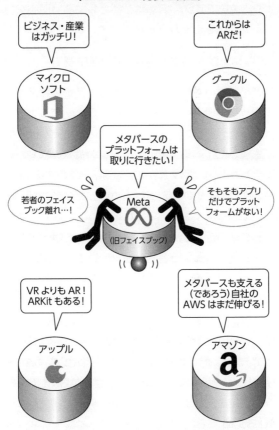

〈GAFAMの現状と戦略〉

　アップルのメタバース戦略は、グーグル同様、VRよりもARであり、ARには依然として高い関心を持ち続けていることがうかがえます。

アマゾンは仮想現実よりリアルを重視?!

　アマゾンのメタバースに対するスタンスは、ほかのテックジャイアントと大きく異なるようです。2022年5月、ウォール・ストリートジャーナル紙が主催したイベントで、アマゾンの役員の1人であるデビッド・リンプ氏がこんな発言をしています。「人々が顔を上げ、現実世界の自分たちをエンジョイして、家族がもっと一緒に暮らしていける、そんなテクノロジーを開発していきたいですね」

　メタバースという言葉は使っていませんが、明らかに、メタバースに注力する企業を揶揄して、われわれはリアルを重視すると言っているのです。

　では、ウェブ3ではアマゾンは勝者になれないのか、というとそうでもありません。

　アマゾンが提供するクラウドサービス「AWS（Amazon Web Services）」は、世界で30%以上のシェアを確保しています。クラウドサービスとは、離れた場所で動くコンピュータを、インターネット

を介して使うサービスのことです。

　メタバースを維持するには巨大なデータと計算能力が必要なので、多くのサービスはアマゾンの「AWS」を使って構築されることになるでしょう。

　このビジネスモデルが揺らぐことがなければ、アマゾンが企業としてメタバースに対してどのようなスタンスを取ろうと、「AWS」の需要はますます高まり、アマゾンの業績は伸び続けるはずです。

メタバースはウェブ3を実現するトリガーになるか

　ウェブ3は、将来はきっとこうなるという予測ではなく、ウェブ2.0の反省と危機感から"提唱"されたものです。自然の流れとして、ウェブ社会は分散型に移行するだろうというものではありません。

　近い将来、SNSの時代からメタバースの時代になり、多くの人が多くの時間をメタバースに没入して暮らすようになっても、そのプラットフォームをGAFAMで寡占していたら、現状とあまり変わらないということになります。

　もしかすると、GAFAMに代わって新たなテックジャイアントが現れるかもしれませんが、その新たなテックジャイアントのメタバースが市場を独占していたら、やはりいまと変わらないでしょう。

　変わらないどころか、さらに悪化する可能性もあります。メタバースではアバターの目の動きや行動などすべてがデータ化されているので、ビッグデータの収集がいま以上に容易です。これを独占すれば、現在のGAFAM以上の力を持つことになるかもしれません。

　もしも、メタバースがウェブ3を実現する突破口になるとしたら、ウェブ2.0社会への批判から生まれた「ザ・サンドボックス」や「ディセントラランド」のようなDAO（107ページ参照）によるメタバースの台頭次第かもしれません。

　いずれにせよ、メタバースの行方がウェブ3の行方を大きく左右するといえるでしょう。

メタバースの
普及を左右する
今後の課題と可能性

メタバースは「キャズム」を超えられるか

イノベーター理論によれば、新しいものが普及するには以下の五つのステップがあるといいます。

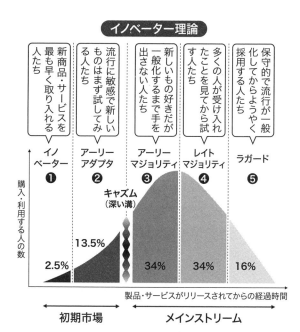

イノベーター理論

① イノベーター
新商品・サービスを最も早く取り入れる人たち

② アーリーアダプタ
流行に敏感で新しいものはまず試してみる人たち

③ アーリーマジョリティ
新しいもの好きだが一般化するまで手を出さない人たち

④ レイトマジョリティ
多くの人が受け入れたことを見てから試す人たち

⑤ ラガード
保守的で流行が一般化してからようやく採用する人たち

購入・利用する人の数

2.5%　13.5%　**キャズム（深い溝）**　34%　34%　16%

製品・サービスがリリースされてからの経過時間

初期市場　メインストリーム

「インターネットの次の章」といわれるメタバースですが、現段階（2022年後半）では、❷アーリーアダプタのステップにあるというのが、一般的な見方でしょう。

マーケティング的には、アーリーアダプタに刺激された❸アーリーマジョリティ層が新しい商品・サービスに興味を示すことで飛躍的に普及する、つまりブレイクするとされています。しかし一方で、アーリーマジョリティとアーリーアダプタの間には、容易に越えることができない溝（キャズム）があると指摘されています。

たとえば、アップルはiPhoneやiPadのずっと以前である1993年に「**Newton（ニュートン）**」という携帯情報端末を開発していますが、キャズムを越えることができずに、1998年には生産を中止しました。

技術的には“革新的”といわれながら、キャズムを越えて普及に至らなかったという事例はほかにもたくさんあります。

では、メタバースは、今後キャズムを越えることができるのか。以下、そのキーとなる要素を見てみましょう。

「バ美肉」文化は受け入れられるか

おじさんも美少女アバターに

「バ美肉」とは、ネット用語で「バーチャル美少女
受肉」の略。バーチャル美少女として受肉する（肉
体を手に入れる）、つまり（主に男性が）美少女のアバ
ターをまとうことを、こう呼んでいます。

自ら「美少女」と名乗ることに違和感を覚える人
もいるかもしれませんが、「美少女」は、たとえば
「ゆるキャラ」のように、それだけで一つのカテゴリ
ーだと考えられます。ちなみに「受肉」の本来の意
味は、キリスト教において、神が人間（イエス）の
姿となって現実世界に現れたことを指します。

メタバースでは、基本的にどんなアバターも設定
自由です。そのため「好きな自分になれる」ことを
メタバースの大きな魅力と捉えて、ソーシャルVR
にログインするユーザーも多く、その多くが美少女
のアバターをまとうバ美肉派です。

ある調査では、ソーシャルVRにログインするユ

ソーシャルVRは美少女キャラだらけ！ **バ美肉**

ーザーの９割近くが男性で、そのうち８割近くが女性のアバターをまとっているという結果でした。

　つまり、現状のメタバース、とくにソーシャルVRは、プラットフォームにもよりますが、美少女アバター率がかなり高い。美少女キャラがあふれているのです。

アニメ的世界観に入れない人も

　こうした、美少女キャラがスタンダードであるようなアニメ的世界観は、必ずしも万人向けではありません。こうした世界観に興味のない人、あまり入っていきたくない人も多いでしょう。

「バーチャル空間でコミュニケーションする」とい
うメタバースのコンセプトに興味を持って、参加し
たいと思っても、美少女アバターをまとうのは嫌だ
し、かといって、場違いなアバターで浮いてしまっ
たらと、躊躇する人もいるかもしれません。

　また、「ソーシャルVRの世界はこうした価値観
の人たちが集まるのだ」という先入観を持ってしま
い、あまり興味を持てないと最初から敬遠してしま
う人もいるかもしれません。

　当面、ソーシャルVRというプラットフォームを
通してメタバースが普及していくためには、このバ
美肉文化が偏見なく受け入れられることが必要にな
るでしょう。

　メタバースが十分に普及してしまえば、バ美肉と
は別の、さまざまな文化圏が形成される余地が生ま
れてくるはずです。

　そうなれば、ソーシャルVRの分野はサブカルチ
ャー、そして「Mesh for Microsoft Teams」や
「ホライズン・ワークルーム」のような実用を主にし
た分野のメインカルチャーというように、仮想空間
はさまざまな文化を包括する広大な世界になるはず
です。

デバイス普及のカギは 価格とコンテンツ

価格の問題と操作性の問題

メタバースにログインするために、必ずしもVR
ヘッドセットは必要ではありませんが、ヘッドセッ
トがあったほうが、よりメタバースを楽しめること
は事実です。

しかしVRヘッドセットは、6章でも触れたように
一般的に高額で、スタンドアローン型で5万〜6万
円、より本格的なVR体験が可能なPC接続型だと
10万円を超えるものがほとんどです。

前述したように、Metaがメタバースの普及をめ
ざして3万円台の低価格で投入した「Meta Quest
2」は、増え続ける赤字に耐えきれず6万円近くに
まで値上げしてしまいました。

アーリーアダプタとアーリーマジョリティの間の
キャズムを越えるには、5万〜6万円出費してもメ
タバースに価値があると、アーリーマジョリティが
思えるかどうかがポイントです。

　価格に加えて、<u>操作が手軽ではないということ</u>も、<u>ハードルを上げる要因の一つ</u>になっています。

　ファミコン以来、家庭に普及してきたゲーム機を例に取りましょう。こちらもそこそこ高額ですが、街のゲームセンターなどで操作のしかたはだいたい知っているし、手軽に遊べそうだという安心感がありました。

　しかし、VRヘッドセットでソーシャルVRなどのメタバースを自由に歩き回るには、まず操作を一から覚えなければなりません。そうすると人は、実際にやったことがないことなので難しそうだという先入観を持ってしまいがちです。

▎エンタメを楽しむために5万〜6万円出せるか

　それでも、5万〜6万円なら出してみてもいいと思えるかどうかは、コンテンツ次第です。

　将来的には、メタバースは一つの巨大な仮想空間（オープンメタバース）になり、そこでは飲食と排泄以外のすべての活動が可能になると推進派は主張しています。

　しかし、現状で用意されているのは、ゲームやソーシャルVRなどのエンターテインメント系、「ホラ

イズン・ワークルーム」などのバーチャルオフィス系、そして、何を始めても自由なサンドボックス系です。

ゲームなどのエンターテインメントに5万〜6万円出費しようという人は限られていますし、バーチャルオフィス系は会社で導入しないことには個人で始めるわけにいきません。

サンドボックス系については、「セカンドライフ」の前例があります。

「セカンドライフ」の失敗の原因はPCや通信技術が追いついていなかったことといわれていますが、何をしてもいい空間に立たされて、何をしていいかわからず戸惑ったユーザーが多かったことも指摘されています。

導入コスト（VRヘッドセットの価格）とコンテンツのバランスから見る限り、いますぐにアーリーマジョリティに火をつけるのは難しいでしょう。今後の機器の低価格化と同時に、コンテンツの充実、さらには企業によるメタバース利用の活性化が期待されます。

「ポストコロナ」は追い風になるか

　メタバースに注目が集まった背景の一つに、コロナ禍があります。多くの人が、リアルで人と会う機会が激減したこと、また、企業が人が集まるイベントなどを中止せざるをえなかったことから、メタバースでのミーティング、社内イベント、商業イベントの可能性に目を向けはじめたのです。

　しかし、コロナ禍で推奨されたリモートワークが、今後、ポストコロナのニュースタンダードとして定着するかどうかは未知数です。

　とくに日本では、対面を重んずる文化が強いといわれ、顔を出さずにアバター同士でするミーティングやイベントは、定着しづらいのではないかともいわれています。

　また、日本の住宅事情もマイナスです。Zoomや「Teams」を使ったオンラインミーティングさえ適切な環境を確保できないという人が多いでしょう。そんななかで、VRヘッドセットを装着して身振り手振り付きでバーチャルミーティングに参加するの

は、自分用の個室を持たない限り難しいのでは？
と考えてしまいがちです。

　今後、メタバースのビジネス使用が広がるとすれ
ば、固定観念や古い企業文化に縛られずにリモート
ワークやオンラインミーティングなどニュースタン
ダードな働き方を積極的に取り入れることができ
る、IT系のスタートアップなどの若い企業が中心と
なるでしょう。

　そこがアーリーアダプタとなって、業績アップや
経費削減などの生産性・効率性が証明されれば、多
くのアーリーマジョリティが追随（ついずい）する可能性がある
のではないでしょうか。

個室が欲しい…

メタバースでの 犯罪行為と法整備の問題

プレイヤー間で問題になった「PK」

　メタバースが普及し、ユーザーがそこで現実と同じような活動を行うようになるなら、現実と同じような（あるいは現実以上の）迷惑行為や犯罪行為が行われる可能性があります。そのとき、法によってそれを裁（さば）くことができるように、いまから準備しておく必要が指摘されています。

　もともとメタバースは、オンラインゲームの世界で先行的に発展してきました。ゲーム世界のなかでは、敵キャラを倒す（殺す）ことは正当な行為というより、ゲームの目的そのものです。

　一方で、ゲーム世界にリアリティを持たせようとすると、敵を倒す武器でほかのプレイヤーを殺すことも可能ということになり、これを**プレイヤーキル**（以下「PK」）といいます。

　ゲームの設定によっては、死亡したプレイヤーは持ち物をその場に放出するため、それを目的にPK

をするプレイヤーも出てきます。もちろんPKに殺人罪が適用されることはないわけですが、倫理上、あるいはゲームの進行上も賛否両論があり、プレイヤー間で議論になりました。

「ネット世界での"犯罪"にどう対処するか」という問題は、初期の頃からあったわけです。

「レイプ・イン・サイバースペース事件」とVR強姦

ネット上の法整備の必要性が認知されるようになったきっかけの一つに、「レイプ・イン・サイバースペース」があります。

その事件は、1993年3月の月曜の夜に起きました。場所は、ネット上の仮想コミュニティである「LambdaMOO」。「LambdaMOO」には、ほかのユーザーに意図しない行為をさせる「ブードゥー人形」というアイテムがあります。バングルと名乗るプレイヤーが、このアイテムを使って、ほかのプレイヤーに「性的な行動を取らせる」などの行為を数時間にわたって続けたのです。

当然、被害を受けたプレイヤーは精神的ダメージを受けました。「LambdaMOO」のプレイヤーたちはオンライン会議を開き、バングルの行為について

議論した結果、バングルのアカウントは削除されました。

　この事件が「レイプ・イン・サイバースペース」のタイトルでアメリカの雑誌『ビレッジ・ボイス』の記事となったことで注目され、ネット上の倫理的・法的問題、ネット上の"犯罪行為"を起訴できるかどうかの議論が活発化しました。

　現実世界で性犯罪が絶えることがないのと同じように、ネット世界での性犯罪はときどき問題になります。

　2022年3月には、ツイッターで「VR強姦」がトレンドワード入りしました。あるユーザーが、ソーシャルVRで「VR睡眠をしていたら、寝込みを襲われました」と報告したからです。

　これをめぐって、ツイッター上では、「ガチで社会問題になる」から「意味がわからん」までコメントが百出しました。

　仮想空間での行為によって、物理的な被害をこうむることはないわけですが、精神的な被害を訴えて、訴訟に発展することもあり得ます。すでにSNSでの誹謗中傷に有罪判決が下った判例は、いくつもあります。

　しかし一方で、前述したように、美少女キャラの
アバターであっても、ユーザー本人は男性という場
合も十分にあり得るわけで、その場合、レイプやセ
クハラなどで性的被害を受けたといえるのかどう
か、まだ法的に解釈された事例がありません。

　メタバースでは、SNS同様、匿名性（とくめい）が高いので、
女性のアバターにしつこくつきまとう、などの迷惑
行為も起こりやすく、そのため、相手のアバターを
見えなくするなどのブロック機能をプラットフォー
ム側が用意している場合もあります。

　ネット上の"暴力行為"も問題になることがあり
ます。アバターがアバターに殴られたとき、実際に
肉体的には被害を受けることはないわけですが、精
神的に苦痛を味わったと訴えることはあり得ます。

　また、オンラインゲームのなかには、ユーザーが
敵味方に分かれて戦うものもあるので、その際、必
要以上に暴力を振るう、つまりゲーム上なんのメリ
ットもないのに、捕らえた相手を執拗（しつよう）に痛めつける
プレイヤーがいます。

　いまのところ、違反行為とはみなされていません
が、今後問題になる可能性はあるでしょう。

著作権、プライバシー、金銭のトラブルも

　前述したような性犯罪や暴力行為は「バーチャルな空間での行為をどう捉えるか」という問題ですが、仮想空間の行為であっても、リアルに現実に直結する可能性がある行為もあります。

　たとえば、著作権問題。好きなアニメのキャラを勝手にアバターに使うことが、著作権の侵害に該当するであろうことは多くの人が理解していると思いますが、建物にも著作権や商標権が認められている場合があるので要注意です。

　たとえば、東京タワーやスカイツリーなどは公共物だと思ってしまいがちですが、名称はもちろん建物のシルエットまでも、商標登録されています。メタバースのなかでこうした建物を再現した場合、著作権や商標権の侵害にあたる可能性があります。

　あるいは、プライバシー問題。仮想空間では、常に膨大な量のデータを取得しているため、個人データが流出する可能性も高くなるといわれています。

　SNSでのなりすましが問題になったように、メタバースでも、ほかのユーザーになりすましてログインすることが想定されます。メタバースをビジネス

利用している場合には、企業の重要な機密情報が流出する恐れがあります。メタバースのセキュリティ問題は、大きな課題です。

また、メタバースではNFTや暗号資産が流通することで経済活動が生まれますから、必然的に金銭トラブルが発生する可能性があります。

とくに土地やNFTへの投資が可能なサンドボックス型のメタバースでは、うまい儲け話を言葉たくみに持ちかけるDM（ダイレクトメッセージ）が報告されています。実際、「ザ・サンドボックス」の公式ツイッターでは、偽Land（メタバース内の土地）が販売されているとの警告が出されています。

メタバース内の犯罪とそれらに対する法整備の問題は、メタバースの普及とともに社会的課題として重要視されるでしょう。

いい儲け話あるよ

怪しい…

メタバースの普及は 「実用分野」がカギ

サブカル以上にビジネス・産業で生きる技術

　こうしたさまざまな課題を乗り越えて、メタバースは広く認知され、普及していくのでしょうか。キャズムを越えてアーリーマジョリティに受け入れられるのでしょうか。

　インターネットやスマホが登場してから、誰もが当たり前のように使いこなす社会的インフラになるまで10年近くかかったように、ある程度の時間は必要でしょう。「メタバースはまだファーストステップにすぎない」という見解は、多くの識者の間で一致しています。

　そしてまた、現時点では賛否両論があるかもしれないが、いずれは"そういう世の中"になっていくだろうという点でも、見解はほぼ一致しています。

　現在のところ、メタバースは、RPGなどのゲームやソーシャルVRなどのサブカルチャーの分野で先行していますが、じつはカギを握るのはビジネス・

産業などの実用分野だという声もあります。

　すでにマイクロソフトのスマートグラス、ホロレンズが、産業分野で実用化されていることは前述したとおりです。

　ここからは、これらの分野で、メタバースを導入することのメリットとその事例について見てみましょう。事例のなかには、正確にはメタバースというよりも、現時点ではVR技術の応用にとどまるものも含みます。

患者や医療従事者の負担が緩和できる

　どこにいてもデバイスさえあれば、すぐにログインできるのがメタバースのメリットの一つです。そのため、メタバースをもっと活用しようという動きはコロナ禍で加速しました。

　たとえば、順天堂大学はIBMと共同で「**バーチャルホスピタル**」の取り組みをスタートさせています。メタバース空間に構築した「**順天堂バーチャルホスピタル**」で、来院前にバーチャルで病院を体験したり、外出困難な入院患者がメタバースで家族や友人と面会したりといったことが可能になります。

　順天堂大学のケースでは、いまのところ、メタバ

ースでのオンライン治療については言及していません。しかし、インドネシアの大手病院グループである**シロアム・インターナショナル・ホスピタルズ**のように、すでに移動制限で病院に行けない患者や地方在住者向けに遠隔治療を行っているところでは、「将来はメタバースでの医療サービスの提供をめざす」と明言している病院もあります。

また、メタバースで医師に情報提供したり、学会をメタバース上で行うなど、多忙な医療従事者同士のコミュニケーションにメタバースを活用する例も出てきています。

このようにメタバースを活用することで人やモノの移動を少なくすることは、医療に限らずあらゆる産業で可能で、経費節減、CO_2削減の面からもメリットがあると考えられます。

アバターが不平等やハンデをなくす可能性

メタバースでは、現実とは別の、自分で選んだ「自分の好きな自分」でいることができます。容姿はもちろん、性別、人種、年齢、すべてが自由です。親ガチャさえもありません。

メタバースのオフィスでは、性別、容姿、人種な

どで不利益をこうむることはなくなるでしょう。
「うちの会社は男性社会だから、女性の意見は通り
にくい」「いつも美人ばかりが得をする」などという
ことも少なくなるはずです。

　LGBTQの人も、自分の好きなジェンダーで働く
ことができます。もちろん、人種による不当な差別
を受けることもなくなります。

　それどころか、メタバースが人種に対する偏見を
弱めることができるという研究成果もあります。

　スペイン・バルセロナ大学のメル・スレイター教
授は、白人女性にVRヘッドセットを装着してもら
い、黒人のアバターで行動してもらうという実験を
しました。黒人の視点から物事を見るという体験を
シミュレーションしてもらうのです。その結果、被
験者たちの黒人に対する偏見は顕著に弱まったと報
告しています。

　差別だけでなく、物理的な不平等をメタバースが
解消することも可能です。たとえば、車椅子ユーザ
ーが、現実のオフィスに出社することは困難が伴い
ます。通勤するにしても、乗車駅と降車駅の双方で
駅員のサポートが整わないと乗車できません。

　しかしメタバースであれば、車椅子がなくても自由にバーチャルオフィスに出社でき、健常者とまったく同じように社会に参加できるでしょう。

　高齢者も同様です。自由に外出する体力がない、若い人たちとコミュニケーションするのは気後れするなどの理由で家にこもりがちになる人は多いですが、メタバースであれば、若々しいアバターをまとって、年齢を気にせずコミュニケーションを楽しむことができます。

　メタバースでは、誰もが平等なのです。

対人関係のハードルを下げる

　メタバースであれば、対人関係のハードルを下げることができます。

　香川県のある学習塾では、不登校の子ども向けにメタバース授業体験会を行っています。コロナ禍で増えたオンライン授業ですが、不登校を経験した生徒のなかには、画面に顔を出すことにも抵抗を感じるという子どもたちもいるそうです。

　そんな子どもたちでも、アバターをまとうことで授業に参加できるだけでなく、メタバース内の教室で、机を並べて勉強することができます。

　英会話の**イーオン**では、メタバースによるオンライン授業を始めました。

　メタバースでは、ホテルのチェックイン、レストランのオーダーなど、さまざまなシチュエーションを疑似体験しながらシミュレーションできるだけではなく、実際に外国人と対面すると緊張してしまう、失敗するのが恥ずかしいという人でもストレスを感じず英語を話せるというメリットがあります。

　こうした対人関係のハードルを下げる、というメリットは、心理カウンセリングなどにも応用が可能です。

　ある研究によれば、患者が精神的な健康状態について打ち明けるときに、現実のセラピストと対面したときよりも、バーチャルインタビューのほうが、よりスムーズに話を聞き出すことができたと報告されています。

失敗を恐れず何度も挑戦できる

　「現実ではできない体験ができる」というVRやメタバースの特性は、すでにさまざまなかたちで実用化されています。

　たとえば、教育や職業トレーニングの分野で注目

されているのは、メタバースなら「失敗に学ぶ」ことができるというメリットです。

　失敗が許されない難しい技術ほど、経験を積んで確実に習得することが求められますが、誰でも最初から一度も失敗しないというわけにはいきません。それに、失敗してこそ学べることも多いはずです。

　日本の**イマクリエイト**という企業は、医療分野で皮下注射や手術などの手技をVRでシミュレーションできるバーチャルトレーニングシステムを開発しています。

　手技の習得は経験を積むことが肝要で、通常、技術は失敗を重ねるほど身につくといわれますが、医療の場合はそうはいきません。人命に関わる場合もあるので、トレーニングとはいえ失敗は許されません。しかしメタバースでなら、何度失敗してもよく、繰り返しトレーニングをすることが可能です。

　VRでは、実際のトレーニングよりも効果が薄いのではないか？　と思われるかもしれませんが、<u>VRで現実のトレーニング以上に成果を上げることもあるそうです。</u>

　同じくイマクリエイトが開発した、けん玉のVRトレーニングシステムがそれを証明しています。

バーチャルでは設定を変えることで、玉の動きを制御できます。動きを遅くして難易度を下げ、コツをつかめてきたらじょじょに速くするという方法で、現実のトレーニングよりも格段に習得率を高めることができたそうです。

疑似体験により治療効果が期待できる

　VRによる疑似体験が、PTSD（心的外傷後ストレス障害）やうつの治療に効果があるという報告もされています。

　精神医療に「暴露療法」という治療法があるのですが、これは、患者が恐怖心を抱いている対象と向き合い、段階的に慣れていくことで恐怖心を克服していくという行動療法の技法です。

　PTSDに苦しむアメリカの退役軍人に対して実施された治療プログラムでは、VRでもう一度戦場に戻ったかのような没入体験をしてもらい、実際に効果を上げています。

　また、9.11アメリカ同時多発テロ事件（2001年）の生存者を対象とした治療では、うつの症状は83%、PTSDの症状は90%も低減できたという研究結果があります。

　治療だけでなく、人間の能力を伸ばすためにVRが役に立つという実験結果もあります。

　事前テストで「自尊心が低い」という結果が出た被験者に、VRでアインシュタインのアバターをまとってもらったところ、知能テストの成績が上がる（！）という結果が出たそうです。

　メタバースのバーチャル会議室で、アインシュタインやエジソン、スティーブ・ジョブズなど、天才のアバターばかりで集合したら、とても生産性の高い会議になるかもしれません。

　メタバースはいま、トレンドとして注目を集める一方、さまざまな分野で少しずつ、しかし着実に浸透しつつあるともいえそうです。

●下記の参考文献等を参考にさせていただきました──

『メタバースとは何か ネット上の「もう一つの世界」』岡嶋裕史（光文社新書）

『60分でわかる！メタバース超入門』武井勇樹（技術評論社）

『メタバースとWeb3』國光宏尚（エムディエヌコーポレーション）

『世界2.0 メタバースの歩き方と創り方』佐藤航陽（幻冬舎）

『メタバース さよならアトムの時代』加藤直人（集英社）

『メタバース進化論』バーチャル美少女ねむ（技術評論社）

『仮想空間とVR』株式会社往来（エムディエヌコーポレーション）

『図解ポケット メタバースがよくわかる本』松村雄太（秀和システム）

『メタバース未来戦略』久保田瞬、石村尚也（日経BP）

『仮想空間への招待 メタヴァース入門』ele-king編集部（Pヴァイン）

『NFTの教科書』天羽健介、増田雅史編著（朝日新聞出版）

『5000日後の世界』ケビン・ケリー著、大野和基インタビュー・編、服部桂訳（PHP新書）

『スノウ・クラッシュ』（上・下）ニール・スティーブンソン著、日暮雅通訳（ハヤカワ文庫）

『GQ JAPAN』2022年7月、8月＆9月合併号

KAWADE
夢文庫

一番わかりやすい！
メタバース
ざっくり知識

二〇二二年一〇月三〇日　初版発行

著　者…………現代ビジネス研究班[編]

企画・編集……夢の設計社
　　　　　　　東京都新宿区山吹町二六一⊤162
　　　　　　　　　　　　　　　　　　　0801
　　　　　　　☎〇三-三二六七-七八五一（編集）

発行者…………小野寺優

発行所…………河出書房新社
　　　　　　　東京都渋谷区千駄ヶ谷二-三二-二⊤151
　　　　　　　　　　　　　　　　　　　　　0051
　　　　　　　☎〇三-三四〇四-一二〇一（営業）
　　　　　　　https://www.kawade.co.jp/

装　幀…………こやまたかこ

印刷・製本……中央精版印刷株式会社

ＤＴＰ…………アルファヴィル

Printed in Japan ISBN978-4-309-48592-8

………あなただけの"夢の時間"を創りだす………

KAWADE夢文庫シリーズ

暮らしのSDGs術
地球を救う実践版
ライフ・エキスパート【編】

ゴミの削減方法、資源の有効な使い方、家電品の節電術…SDGs達成に貢献できる生活ハウツーが満載‼

[K1181]

戦国武将の現場感覚
西股総生

その時、武将は何を思い、どう判断したのか？ 戦国時代のリアルを知れば、歴史の見方がガラリと変わる！

[K1182]

語源の謎
なぜ、この漢字が使われる？
日本語倶楽部【編】

流石、湯舟、毛嫌い、外遊、眉唾…身近な言葉には驚きの由来があった！ 奥深き日本語の世界を楽しめる本‼

[K1183]

覚え違い大全
9割の人が信じ込んでいる
博学こだわり倶楽部【編】

じつは「ヘリ・コプター」ではなく「ヘリコ・プター」が正しかった…長年信じてきた常識がひっくり返る！

[K1184]

語源501
意外すぎる由来の日本語
日本語倶楽部【編】

【くだを巻く】の「くだ」とは？【しんどい】【ぐれる】のルーツは？ 日常で使う言葉の誕生秘話がぎっしり！

[K1185]

生ビール30分500円で飲み放題！が儲かるわけ
現代ビジネス研究班【編】

激安、デカ盛り、食べ放題、無人店…繁盛店だけが知っている集客術、ヒット食品のウラ事情を徹底的に解明！

[K1186]

………あなただけの"夢の時間"を創りだす………

KAWADE夢文庫シリーズ

日本の命運にかかわる
同盟と対立の世界地図［最新情勢版］
国際時事アナリスツ［編］
中国とロシアが接近し流動化する世界で安全保障の基盤「同盟」はどう変わる？複雑な国際情勢を理解する書。
［K1187］

《偶然》の魔力
シンクロニシティで望みは叶う
秋山眞人 布施泰和［協力］
今日の服装、日付の数字、雲の形、夢…を解読し、うまく活かすには？望む未来を引き寄せる術、教えます！
［K1188］

JR中央本線知らなかった凄い話
小林拓矢
中央本線と中央線の違いとは？東京～三鷹間に地下化計画が存在した…"内陸の動脈"には新事実が満載！
［K1189］

シン・雑学王
博学こだわり倶楽部［編］
貧乏ゆすりで幸せになれる！水のない砂漠で溺死するって？世界一短い戦争はなんと40分…新鮮ネタ400！
［K1190］

戦闘を変えた
最新の兵器
国際時事アナリスツ［編］
今日の戦場で凄い戦果をあげている兵器は？従来の概念を覆す兵器は？陸海空の新兵器の疑問に答える！
［K1191］

一番わかりやすい！メタバースざっくり知識
現代ビジネス研究班［編］
ビジネス・経済・ネット・ゲームが激変する！カギを握る企業は？生活はどう変わる？…がすんなりわかる！
［K1192］